¿Quién tiene la última palabra?

CORTANDO LAS MENTIRAS DE SATANÁS
CON LA VERDAD DE LA PALABRA DE DIOS

Michelle J. Goff

Ministerio Hermana Rosa de Hierro

Michelle J. Goff / CreateSpace
Ministerio Hermana Rosa de Hierro
www.HermanaRosadeHierro.com
1-501-593-4849

Formato del libro ©2013 BookDesignTemplates.com

¿Quién tiene la última palabra? / Michelle J. Goff.—1er ed.
ISBN 978-0-9963602-6-5 (sc)
ISBN 978-0-9963602-7-2 (e)

Índice

A mis amigos y a mi familia quienes me han hablado palabras de verdad y, más importante, me han señalado al Autor de la Verdad.

Reconocimientos

Ante todo, gracias a Dios, el Alfa y Omega, quien siempre tiene la primera y la última palabra.

Y gracias a Uds. por su paciencia en la publicación de este libro. Me ha costado más trabajo, pero confío en Dios que podrá ser usado como una herramienta para darle la última palabra en nuestras vidas.

A las mujeres valientes que dieron a Dios la última palabra y estuvieron dispuestas a compartir sus historias: Lacey, Vanessa, Casia, Josefina*, Sherry, Maryellen, Courtney, Katie, LaNae, Libby, Linda, y Jocelynn.

Katie Forbess, por las horas infinitas que ha pasado por teléfono y por Skype buscando la dirección de Dios para el Ministerio Hermana Rosa de Hierro (MHRH) y este libro. Tú eres mucho más que "una animadora glorificada."

No he vivido ningún aspecto de este proceso sola. Y específicamente quiero dar gracias a mis padres, David y Jocelynn Goff, por caminar conmigo sin cesar en el proceso.

George Brown, por compartir su conocimiento sobre la vida, la Biblia, y sus libros con citas e ilustraciones. Creo que parte del contenido de este libro sí va a estar en el examen final.

A los que siguen luchando contra las mentiras y compartieron su perspectiva sobre cuáles mentiras se debía incluir en este libro. Gracias.

Y a los que ayudaron a editar y revisar: Vanessa Chura, Fabiola Gómez, Gabriela Hogue, Jonathan Hanegan, Rosa Perez, y Ana Teresa Vivas.

Finalmente, me honra servir con la Junta Directiva del MHRH y los que nos acompañan siempre en oración.

Muchas gracias a los anfitriones durante mis retiros para un tiempo concentrado para escribir:

➢ Bob & Eileen Gresham por el uso de su cabaña en Colorado.
➢ Sherry Hubright por acompañarme en el segundo retiro, y por tus revisiones y colaboración.
➢ Paxton y Kim (Goff) Edwards por el espacio en su casa y los tiempos de descanso con los sobrinos.
➢ David y Vanessa Gilliam por su hospitalidad durante el último retiro para escribir.

Gracias adicionales a los siguientes individuos por sus talentos:
➢ Libby Isenhower por la foto de la portada.
➢ Kenneth Mills por el diseño de la portada.
➢ Geoffrey Wyatt por la foto de perfil.
➢ Joel Friendlander, Book Template Designs.

Nombre cambiado a petición de la contribuyente.

Formato de los estudios bíblicos del Ministerio Hermana Rosa de Hierro

Los estudios bíblicos del Ministerio Hermana Rosa de Hierro (MHRH) son diseñados para el contexto de pequeños grupos de damas. Aún si fuera posible darles "todas las respuestas" y darles mi perspectiva sobre los versículos y conceptos presentados, no puedo enfatizar lo suficiente el valor de la comunión, la discusión, y la oración con otras hermanas en Cristo. El formato de los estudios bíblicos permite mayor conversación, profundidad de conocimiento y perspectivas únicas. Si no siguen el libro exactamente, ¡está bien! Les invito a que los estudios sean suyos, que permitan que el Espíritu les guíe, y que traten los estudios como guía y recurso, no como fórmula o guión.

Los estudios bíblicos MHRH también proveen la oportunidad de escribir tu propio diario espiritual. Te animo a anotar la fecha en cada capítulo y hacer apuntes en los márgenes mientras contestes las preguntas. Los 'Elementos Comunes' también sirven como un archivo de tu crecimiento espiritual individual y en comunión con tus Hermanas Rosa de Hierro.

Usando la imagen de la rosa y el logotipo de MHRH, los pétalos de la rosa representan las áreas en las que reconocemos la necesidad de crecer o florecer. A través de los estudios, también podemos identificar espinas que deseemos eliminar o las cuales necesitemos ayuda para eliminar. Puede ser que sean espinas como las de Pablo (2 Cor. 12:7-10), pero al identificarlas, ya sabemos dónde están y podemos afilarlas o dejar de puyarnos a nosotras mismas o a otros. El último Elemento Común es el hierro. Se facilita mejor en comunión con otras hermanas cristianas: Hermanas Rosa de Hierro.

Elementos comunes en los estudios MHRH

 una manera en la que quieras crecer o florecer

 *una espina que desees eliminar*

un elemento que quieras profundizar o un área en la que necesites a alguien como afiladora en tu vida

¿Qué es una Hermana Rosa de Hierro?

Una Hermana Rosa de Hierro es una hermana cristiana que sirve como hierro afilando a hierro (Prov. 27:17), quien anima e inspira a otras a ser tan bellas como rosas a pesar de unas espinas.

Propósitos de las relaciones Hermana Rosa de Hierro:

➢ Ánimo e inspiración
➢ Oración
➢ Entendimiento y afirmación
➢ Confidencialidad
➢ Afiladora espiritual

➢ Llamado mutuo a vivir en santidad

➢ Amistad espiritual y conversación

Recomendaciones para estudios bíblicos del Ministerio Hermana Rosa de Hierro:

➢ Apartar al menos una hora y media para reunirse semanalmente.

  ○ Somos mujeres – ¡Nos gusta hablar!

  ○ Tiempo en oración

  ○ Profundidad de conversación y plática

➢ Guiar el estudio en rotación entre **todas** las mujeres.

  ○ ¡Todas pueden guiar!

  ○ ¡Todas crecerán!

  ○ Para más sugerencias, revisa la *Guía para la facilitadora* (pg. vii)

➢ Comprometerse a leer el capítulo de antemano.

  ○ Las conversaciones y discusiones serán más ricas y profundas si todas vienen preparadas.

  ○ Vas a sacar provecho de acuerdo con el tiempo que le dedicas.

  ○ Vas a necesitar tu Biblia favorita a mano para cumplir los estudios.

  ○ Todo versículo, al menos que haya una cita, vendrá de la Nueva Versión Internacional.

➢ Mantenerse en contacto durante la semana.

  ○ Orar unas por otras

  ○ Animarse unas a otras

  ○ 'Elementos Comunes'

 El logotipo del MHRH se usa para resaltar preguntas que se pueden aprovechar en el contexto del grupo para buena conversación y discusión del tema: rompehielos, preguntas para profundizar o buscar perspectivas distintas, y áreas para crecer y compartir.

Guía para la facilitadora

Tal como se presentó en el *Formato de los estudios bíblicos del Ministerio Hermana Rosa de Hierro*, cada Hermana Rosa de Hierro es animada a rotar la coordinación dentro del grupo cada semana.

Aún si no te sientas equipada o capacitada para facilitar la conversación o te falta experiencia, es una rica oportunidad para crecer y ser de bendición para otras mujeres. Estás entre hermanas y amigas que te están apoyando en esta parte de tu camino también.

Lo siguiente es una lista de consejos o sugerencias, especialmente para nuevas líderes:

- Haz que el estudio sea tuyo y deja que el Espíritu les guíe. Estos estudios son un recurso no un guión.
  - Escoge las preguntas que más quieres mencionar para discutir y decide cuales puedes saltar si les falta tiempo.
  - Siéntete libre de agregar tus propias preguntas o resaltar las porciones del capítulo que más te llamaron la atención – sin importar si fueron designadas para la discusión o no.
- Ser líder se trata de facilitar la discusión, no de tener todas las respuestas.
  - Cuando alguien menciona una situación difícil o presenta una pregunta complicada, siempre puedes abrir la

pregunta a que todas para que respondan con las Escrituras, no sólo con sus propios consejos.

- ○ Puede que la respuesta amerite un estudio más profundo de las Escrituras o una consulta con alguien con más experiencia en la Palabra y/o experiencia acerca del asunto mencionado. ¡Y está bien! Estamos profundizando en los distintos temas.

➢ Mantente atenta a contestar primero la pregunta para discusión y usar tus propios ejemplos, pero evita la tentación de ser la única que habla.

- ○ Permite un tiempo de silencio incómodo para dar la oportunidad a otras a pensar y compartir.
- ○ Está bien invitar a alguien en particular a responder una pregunta específica.
- ○ ¿Por qué? o ¿Por qué no? son buenas preguntas de seguimiento para facilitar la plática.

➢ Incluye ejemplos adicionales de las Escrituras y anima a otras a hacer lo mismo.

- ○ Programas por internet, tales como BibleGateway.com, proveen excelentes recursos: múltiples versiones de la Biblia, concordancias (para buscar donde aparecen ciertas palabras), diccionarios bíblicos, comentarios, e interpretaciones de estudiosos.

➢ Da una conclusión práctica o una aplicación para llevar a casa cuando cierren la reunión con los Elementos Comunes.

➢ No te olvides planificar y apartar un tiempo para orar.

➢ Recuerda nuestros propósitos como Hermanas Rosa de Hierro, estudiantes de la Palabra, e hijas del Rey.

Prefacio

Recordar la verdad permite a Dios tener la última palabra en vez de nuestros temores, las mentiras, el dolor, o la desesperación. **La verdad de la Palabra de Dios corta las mentiras como ninguna otra cosa.**

Mi meta con este libro es pintar un cuadro con palabras, compartir una historia que inspira, y citar un versículo que alienta la verdad y la esperanza, para las vidas quebrantadas o golpeadas por las mentiras. No voy a contar sólo mis propias historias en las páginas de este estudio bíblico interactivo. Las historias que perduran vienen de la Biblia: mensajes poderosos que transforman nuestras vidas y nos llenan de esperanza. Los otros testimonios en cada capítulo vienen de mujeres que están dispuestas a compartir la sabiduría y la verdad que han encontrado en los días oscuros de sus vidas. Son lecciones aprendidas y pasajes que guardaron en sus corazones al luchar contra los ataques personales de Satanás. Así llegaron a conocer las verdades poderosas que se encuentran en la Palabra de Dios.

En *¿Quién tiene la última palabra?* vas a caminar con estas mujeres por las mentiras que atrapan, para llegar a la verdad liberadora. Y vas a explorar las verdades de las Escrituras mientras que la Palabra de Dios inspira fe, esperanza, y amor en abundancia en todo tu ser, llenándote de nueva vida en Cristo.

"Ahora, pues, permanecen estas tres virtudes: la fe, la esperanza y el amor. Pero la más excelente de ellas es el amor" (1 Cor. 13:13).

Cuando aceptamos la verdad, abundamos en fe, esperanza, y amor: la vida abundante que Jesús ofrece (Jn. 10; 1 Cor. 13; 1 Tes. 1:2-3; Rom. 5:1-8; 2 Pe. 1:2). Satanás vino a robar, herir, y destruir, pero Dios mandó a Su Hijo para que tengamos vida y en ella, abundancia (Jn. 10:10, *parafraseado*).

Te quiero señalar al Dios de las Escrituras. Es Su palabra. Cristo personifica esa palabra: el camino, la verdad, y la vida (Jn. 14:6). Y nos ha dado el espíritu de verdad, el Espíritu Santo, como un testimonio continuo de esa verdad.

Es una historia de amor. Es una canción de redención. Está llena de poesía, prosa, historia, genealogías, mandatos, promesas, y descripciones vivas de un Dios que nos ama tanto que anhela una relación con nosotros ya que nos persigue sin cesar.

Muchos autores han presentado trabajos bien-escritos, con mucha autoridad, sobre el poder de la Palabra y la influencia de las mentiras de Satanás. Sin embargo, le pido a Dios que a través del formato de este estudio interactivo, diseñado para realizar en grupos pequeños, con preguntas guiadas de estudio, vayas a adquirir otro nivel de entendimiento y aprecio por la Palabra de Dios y Su poder en tu vida.

¿Quién tiene la última palabra? cumple con el propósito principal del Ministerio Hermana Rosa de Hierro: equipar a mujeres con las herramientas para conectarse con Dios y con otras mujeres más profundamente. Específicamente en este libro, quiero equiparte con las herramientas para utilizar la Palabra como espada (Ef. 6:17), a luchar contra las mentiras, y llenarte del gozo de la vida abundante, repleta de fe, esperanza, y amor. Todo viene a través del poder transformador de la verdad, en la Palabra de Dios. Esto

se puede lograr mejor en ambos contextos, el estudio personal y en un grupo pequeño.

El Ministerio Hermana Rosa de Hierro tiene como fin equipar, inspirar, y animar a mujeres a pelear la buena batalla, a terminar la carrera, y a regocijarse de la corona que les espera. Es nuestra oración que tus Hermanas Rosa de Hierro te acompañen en esta batalla, corran contigo la carrera, y te animen hacia la victoria.

Aún si quisiéramos enfrentar todas las mentiras con las cuales Satanás nos ataca, sería imposible. Sin embargo, podemos ver algunas verdades fundamentales en las cuales nos paramos (¡sí existen!), y los ejemplos de Cristo y otros que conquistaron las mentiras de Satanás con la verdad. Además, podemos seguir adelante con una fundación de fe, esperanza, y amor. Veremos algunas de las mentiras personales que eclipsan las verdades más profundas y aprenderemos cómo responder a ellas. Confrontaremos el temor que acompaña las mentiras y la esperanza que lo descarta.

Usando los Elementos Comunes, veremos las mentiras de Satanás como las espinas que pedimos a Dios que elimine. Son versiones distorsionadas de la realidad que nos tienen engañadas y nos traen dolor.

Finalmente, a través del Cuadro de Mentira/Verdad, comenzaremos a reconocer la mentira, a reemplazar una mentira con la verdad, y a recordar la verdad. Así le damos a Dios la última palabra y cortamos las mentiras de Satanás con el poder de la Palabra de Dios.

Introducción:
Argumento inicial

Como parte de mi deber cívico y para cumplir con la citación judicial para servir en el jurado, pasé un día completo en la corte local. La mayor parte del día estuve en el salón 406 donde un juez nos explicó el proceso jurídico, los términos legales, e hizo preguntas a los posibles miembros del jurado, después de haber leído la acusación contra el detenido. Fue un caso complicado que tomaría toda una semana de servicio de parte del jurado.

Luego me despidieron y me quedé con la curiosidad de cómo terminó. Pero a la vez, me sentí aliviada por no tener que pasar una semana en la corte debatiendo los hechos y determinando, según esos hechos, si sería culpable o inocente el acusado.

Siempre me han fascinado las series sobre los crímenes y los misterios. Son programas que puedo ver desde lejos y que se resuelven en un solo capítulo. Sin embargo, como mencionó otro juez por la mañana, "Si has visto los programas en televisión, no muestran esta parte del proceso porque es aburrido y no hay nada que podemos hacer para mejorarlo." Y tenía razón. Pero yo no estaba aburrida, sino intrigada por cosas que observé ese día.

Cuando el juez en el salón 406 nos recordó del proceso jurídico y los abogados hicieron sus preguntas a los posibles jurados, lo que más me llamó la atención fue **la cantidad de veces que menciona-ron la verdad y la mentira.**

Hicieron preguntas como: ¿Cómo determinas si alguien está diciendo la verdad? ¿Puedes confiar en el testimonio de alguien que fue acusado anteriormente? ¿Qué tal si alguien cambia su historia? ¿Y qué de su lenguaje corporal te indica si está diciendo la verdad o no?

Ésas y muchas otras preguntas son válidas para contextos fuera de la corte también. En nuestros propios pensamientos, servimos como juez y jurado cada vez que nos pasa una idea por la cabeza. Tenemos que discernir si el pensamiento es verdad o mentira, y luego actuar según la decisión. Así como el angelito y el diablito en los hombros de alguien en las caricaturas, debatimos las ideas que nos pueden robar la vida abundante prometida.

Satanás siempre ha tenido el talento para convencernos que una mentira es una verdad. Usa sus artimañas y nos manipula para distorsionar la verdad e introducir la duda. **La buena nueva es que Satanás no tiene la última palabra.**

En la corte, el juez lleva el verídico. Ayuda al jurado a llegar, cuidadosamente, a la verdad. **En la vida, Jesús es nuestro abogado y nuestro mediador, El que tiene la última palabra.**

¿Quién tiene la última palabra en tu vida? Te invito a acompa-ñarme y a otras hermanas en Cristo al explorar estos capítulos y juntas cortar las mentiras de Satanás con la verdad de la Palabra de Dios.

Aprenderemos a reconocer la mentira, la reemplazaremos con la verdad, y recordaremos la verdad cuando estemos atacadas. Conseguiremos herramientas que nos ayudan a recordar la verdad al hacer Cuadros de Mentira/Verdad, a través de los Elementos Comunes, y al atesorar Su Palabra en nuestros corazones.

¿Estás lista para vivir la vida abundante de fe, esperanza, y amor que Dios nos promete? Vamos a comenzar.

CAPÍTULO 1

Reconocer, Reemplazar, y Recordar: El poder de la verdad transforma

La mentira más terrible no es la que se dice, sino la que se vive. – W. G. Clarke

Perdóname. No te reconocí. He cambiado mucho. – Oscar Wilde

Me imagino que Pedro recordó su traición cada vez que cantaba un gallo. Satanás se hubiera asegurado de eso. Satanás quiere aprovechar cualquier mentira que nos impida de una vida de verdad, la vida abundante prometida – aún si implica usar un animal del campo para cumplir con su meta. El que decepciona quiere atrapar y socavar. Así que cada vez que Pedro escuchaba el "ki-kiri-ki" que conocía demasiado bien, tenía que recordar las palabras de verdad, palabras de perdón y promesa, las palabras de Dios que fortalecieron su fe, restauraron su esperanza, y le bañaron de amor.

Pedro tuvo una elección después de que cantó el gallo. Podría haber caído en la mentira que su identidad era la de un traidor de Jesús. O podría haber **reconocido** que era una mentira, **reemplazado** esa mentira con la verdad del perdón de Cristo, y de esa manera seguir adelante, **recordando** la verdad de la vida abundante.

¿Traicionó Pedro a Jesús? Sí. ¿Pero está bien decir que la identidad ya era la de un traidor de Jesús? ¡No! Pedro recordó las palabras verdaderas de Jesús que lo llamaron a una vida más allá de su traición, y él decidió creer esas palabras en vez de la mentira.

"Pero yo he orado por ti, para que no falle tu fe. Y tú, cuando te hayas vuelto a mí, fortalece a tus hermanos" (Lc. 22:32). Creo que Simón Pedro se aferró a estas y otras palabras amorosas de Jesús después de escuchar el canto del gallo. Las necesitaba y fueron bienvenidas después de haber traicionado al que había pronunciado estas palabras de esperanza sobre él. Las palabras verdaderas de Jesús invitaron a Pedro a librarse de las mentiras que le amenazaron y pudieran haberse convertido en una fortaleza[1] en su vida (Lc. 22:31-34, 54-62). Además, las palabras de Jesús le ofrecieron una vida abundante de fe, esperanza, y amor en Cristo.

Simón Pedro dio la última palabra a Jesús. Permitió que la verdad cortara las mentiras. Y fue transformado por el poder de la verdad en su vida.

¿Quién tiene la ultima palabra en tu vida?

A lo largo de este estudio interactivo de la Biblia, vas a tener la oportunidad de reconocer las mentiras de Satanás, reemplazar esas mentiras con la verdad, y recordar la verdad cuando las mentiras

---

[1] Una fortaleza es algo que te detiene o te impide, algo que podría llegar a cambiar quién eres en Cristo.

tratan de formar una fortaleza. Tendrás la oportunidad de rendir al dador de vida, Jesús, la última palabra en tu vida, no al padre de la mentira. Así experimentas la vida abundante prometida.

Cada semana, estudia el capítulo a solas, y luego reúnete con otras hermanas en Cristo para profundizar y ampliar la aplicación de estas lecciones en el contexto de una comunidad. Tenemos tanto para ofrecernos en el camino hacia la transformación de las mentiras a la verdad para reclamar la vida abundante que Satanás nos quiere robar. Puede que no escuchemos la voz audible de Dios, pero Él nos comunica las verdades encontradas en Su Palabra con mucho amor.

De la misma forma que Simón Pedro tenía que recordar las verdades al escuchar el gallo, reclamar la verdad en nuestras vidas es un proceso. Una vez llamado Simón (significa "ha escuchado") se convirtió en Pedro ("la piedra," Mt. 16:18). Antes Pedro era impulsivo (listo para caminar sobre las aguas, Mt. 14:28) y atrevido a punto de defender a Jesús con una espada (Jn. 18:10). Pero Dios le eligió para ser el portavoz de la iglesia primitiva (Hch. 2).

Hay muchas historias de transformación en las Escrituras:

➢ De la bella tímida a la salvadora de su pueblo (Ester: el libro de Ester)
➢ De prostituta a la que rescató a los espías (Rahab: Jos. 2)
➢ De viuda extranjera a mujer clave en la genealogía de Jesús (Rut: el libro de Rut; Mt. 1:5)
➢ De amargada a redimida (Mara/Noemí: Rut 1:3-5, 19-21, 4:14-17)
➢ De verdugo de cristianos a líder de la iglesia (Saulo/Pablo: Hch. 9, 11, 13-28)

¿Con cuáles de estos ejemplos más te identificas? ¿O hay otro ejemplo bíblico de transformación que refleja mejor la transformación que Dios está realizando en tu vida?

La transformación

La Biblia está repleta de historias de transformación. Forman parte de un proceso. El mismo Saulo, confrontado en un instante con la luz de la verdad y la voz de Dios (Hch. 9:3-4), tuvo que pasar por un proceso de transformación. Fue guiado por Ananías, y seguía siendo transformado a lo largo de su ministerio. Verbalizó esa lucha de transformación en Romanos 7:14 – 8:1. En lo que me gusta llamar el trabalenguas de la Biblia, Pablo expresa la lucha interna que tiene el trabajo difícil de la transformación.

No toda transformación es tan dramática como la de Pablo. Mis transformaciones tienden a suceder de formas pequeñas que reconozco después de que ya hayan pasado o cuando reflexiono sobre cómo Dios ha trabajado en una cierta situación.

Puede que tu proceso de transformación no sea visible para otros, pero Dios está trabajando para renovarte y cambiarte, así como hace con una mariposa. Al principio, como huevo, la oruga empieza a formarse. En la segunda etapa, la oruga come y come, creciendo y quitando su piel vieja cuatro o cinco veces. La tercera etapa se caracteriza por la mayor transformación, la metamorfosis. Durante esta etapa, la oruga construye un capullo y dentro de él, los miembros viejos del cuerpo de la oruga se transforman en el cuerpo y las alas de una maravillosa mariposa. Como mariposa adulta, fuera del capullo, falta todavía otra transformación. Las alas de la mariposa son suaves, mojadas, y débiles. El insecto tiene que usar sus alas para fortalecerlas y permitir que la transformación diseñada por Dios se realice para que pueda volar en belleza, y cumplir el propósito por el cual fue creado.

Y así como la mariposa pasa por la metamorfosis, nuestra transformación a la imagen de Cristo toma su tiempo. Puede que a veces, solo tengamos un vistazo de lo que luego seremos. A veces hay dolor al quitar la piel de nuestra vida vieja y las mentiras que nos tenían atrapadas como capullo. La transformación radical, no vista por muchos, pasa en nuestros corazones y nuestras mentes al seguir trabajando y permitiendo que Dios nos transforme en las creaciones fuertes y bellas que descansan y prosperan en la vida abundante que diseñó para nosotras.

El camino de la transformación

En este libro, vas a buscar versículos en la Biblia, responder preguntas, pensar en tus respuestas, y descubrir verdades por ti y sobre ti misma. Recordamos y poseemos esas verdades al pasar por el proceso de aprenderlas, no al permitir que otro nos las dé por cucharaditas. Aprenderemos a recordar y apropiarnos de estas verdades de mejor manera si pasamos por el camino de la transformación.

Si no te sientes que tienes todas las respuestas, ¡no te desanimes! Nadie tiene todas las respuestas. **La transformación es un proceso de descubrimiento y aprendizaje, y un camino que no atravesamos solas.**

En cada capítulo, se resaltan algunas preguntas con el logotipo del Ministerio Hermana Rosa de Hierro (MHRH).

Permíteme tomar un momento para explicar de qué se trata el ministerio y por qué me apasiona tanto. No hay nada más frustrante como cristiana que el tener el deseo de cambiar, a ser transformada, pero no saber cómo hacerlo. Mi meta a través del Ministerio Hermana Rosa de Hierro (MHRH) es proveerte, y a otras mujeres, las herramientas para realizar esa transformación, con el poder de la Palabra, y la oportunidad de caminar con otras en el camino hacia la transformación, porque no lo podemos hacer a solas.

Como introducción breve, MHRH es un recurso bilingüe (español e inglés) para mujeres y ministerios de mujeres, dedicado a equipar, inspirar, y animar a mujeres en sus relaciones con Dios y con otras mujeres. El nombre del ministerio se basa en el hecho de que todas queremos esa hermana en Cristo que puede servir como hierro afilando a hierro (Prov. 27:17), animándonos e inspirándonos a que seamos tan bellas como rosas a pesar de unas espinas: una Hermana Rosa de Hierro. Para más información sobre el MHRH, te invito a visitar nuestra página web: www.HermanaRosadeHierro.com

El logotipo del MHRH también identifica preguntas que se pueden usar para la buena conversación cuando te reúnes con tu grupo pequeño (tus Hermanas Rosa de Hierro). Aquí se encuentra la primera pregunta sugerida para discusión en este capítulo:

 ¿Cómo describe Romanos 12:1-2 el proceso de transformación?

¿Dónde se realiza la renovación?

Sobreabundando en fe, esperanza, y amor

Es en nuestra mente y nuestro corazón que Satanás trabaja con mucho esfuerzo para que no lleguemos a la vida abundante que Dios nos ofrece. Sin embargo, a través de una vida nueva en Cristo, podemos reclamar esas promesas. Podemos abundar en fe, esperanza, y amor al ser transformadas en la imagen de Cristo y podemos reclamar la vida abundante que nos promete en Juan 10:10.

Veamos cómo Romanos 5:1-8 describe la promesa llena de transformación.

En consecuencia, ya que hemos sido justificados mediante la fe, tenemos paz con Dios por medio de nuestro Señor Jesucristo. 2 También por medio de él, y mediante la fe, tenemos acceso a esta gracia en la cual nos mantenemos firmes. Así que nos regocijamos en la esperanza de alcanzar la gloria de Dios. 3 Y no sólo en esto, sino también en nuestros sufrimientos, porque sabemos que el sufrimiento produce perseverancia; 4 la perseverancia, entereza de carácter; la entereza de carácter, esperanza. 5 Y esta esperanza no nos defrauda, porque Dios ha derramado su amor en nuestro corazón por el Espíritu Santo que nos ha dado.

6 A la verdad, como éramos incapaces de salvarnos, en el tiempo señalado Cristo murió por los malvados. 7 Difícilmente habrá quien muera por un justo, aunque tal vez haya quien se atreva a morir por una persona buena. 8 Pero Dios demuestra su amor por nosotros en esto: en que cuando todavía éramos pecadores, Cristo murió por nosotros.

¿Qué tipo de vida abundante se ofrece en Romanos 5?

Dibuja un triangulo en la palabra "fe" cada vez que aparece en el pasaje arriba (de Romanos 5:1-8). Haz un círculo en la palabra "esperanza" las veces que ocurre. Y dibuja un corazón en la palabra "amor."

 ¿Qué observas cuando resaltas esas palabras en Romanos 5:1-8?

La fe, la esperanza, y el amor definidos

La fe, la esperanza, y el amor son fundamentales en nuestra transición al aceptar la verdad. El versículo más conocido que hace referencia a la fe, la esperanza, y el amor, se encuentra en 1 Corintios 13, donde Pablo también nos dice que todo lo demás va a cesar... "Ahora, pues, permanecen estas tres virtudes: la fe, la esperanza y el amor. Pero la más excelente de ellas es el amor" (1 Cor. 13:13).

Lee los siguientes versículos que describen la fe, la esperanza, y el amor. Profundízate en la guía y las promesas de Dios. Luego, descríbelos tal como se ven en la vida abundante, transformada por estas cualidades.

Fe – Mateo 17:20; Romanos 10:17; Hebreos 11:6

 Esperanza – Romanos 8:24-25, 15:13; Hebreos 6:19

 Amor – Filipenses 1:9; Romanos 8:35-39; Juan 15:9

La fe, la esperanza, y el amor no son como el mundo los describe. En el sermón del monte, Jesús ofrece una mejor definición para estas promesas, y para otros conceptos malentendidos sobre Su Padre, el reino, y las enseñanzas de Dios. El mensaje de Jesús se trató de reemplazar las mentiras con la verdad. "Han oído que se dice... pero yo les digo..."

Comenzando con las bienaventuranzas, Jesús cambió por completo el mundo de Sus oidores. Lo que el mundo presentó como verdad, Él reveló como mentira. Vamos a analizar unos pasajes del Mateo 5 al 7 para ilustrar el deseo de Jesús de revelar las verdades distorsionadas como las mentiras que son. Luego, veremos cómo les ayudó a reemplazar las mentiras con Sus palabras de verdad.

Usando los versículos citados del libro de Mateo en el cuadro abajo, y el ejemplo de Jesús de cómo dar a Dios la última palabra, toma un momento para llenar el siguiente Cuadro de Mentira/ Verdad.

Usaremos el formato de este cuadro como patrón, en los siguientes capítulos, para reconocer las mentiras, reemplazar las mentiras con la verdad, y recordar la verdad a través de un versículo bíblico. Ya llené los primeros blancos.

Te invito a escribir la mentira y la verdad en tus propias palabras. Haz que sean muy personales para que puedan llegar a tu corazón, y Dios puede realizar la transformación en tu vida. Cuando te reúnes con tus Hermanas Rosa de Hierro, notarán cómo Satanás distorsiona sus mentiras de formas distintas para cada una. Hay muchas mentiras, pero una sola verdad.

RECONOCER la mentira (en tus propias palabras)	REEMPLAZAR la mentira con la verdad (en tus propias palabras)	RECORDAR la verdad (referencia bíblica)
1. Admitir mi debilidad espiritual significa que otros me van a atropellar o que me van a ver como un fracaso.	Al admitir mi necesidad espiritual, ¡Dios me promete el reino!	"Dichosos los pobres en espíritu, porque el reino de los cielos les pertenece." Mt. 5:3
2.		"Ustedes han oído que se dijo: "Ama a tu prójimo y odia a tu enemigo." Pero yo les digo: Amen a sus enemigos y oren por quienes los persiguen," Mt. 5:43-44

RECONOCER	REEMPLAZAR	RECORDAR
3.		"No acumulen para sí tesoros en la tierra, donde la polilla y el óxido destruyen, y donde los ladrones se meten a robar. Más bien, acumulen para sí tesoros en el cielo, donde ni la polilla ni el óxido carcomen, ni los ladrones se meten a robar. Porque donde esté tu tesoro, allí estará también tu corazón." Mt. 6:19-21
4.		"No todo el que me dice: "Señor, Señor", entrará en el reino de los cielos, sino sólo el que hace la voluntad de mi Padre que está en el cielo." Mt. 7:21

 Después de reconocer las mentiras y reemplazarlas con la verdad (puestas en tus propias palabras), ¿qué nos revelan sobre la vida abundante ofrecida en Cristo?

¿Cómo nos ayudan la fe, la esperanza, y el amor a realizar la transformación que deseamos en nuestro proceso de transformación (reconociendo, reemplazando, y recordando)?

Fe:

Esperanza:

Amor:

Nuestro camino transformador usando *¿Quién tiene la última palabra?*

En los capítulos 2 a 5 de *¿Quién tiene la última palabra?* exploraremos el poder transformador de la Palabra, atesorada en nuestro corazón, y la importancia de cada uno de los pasos: reconocer la mentira, reemplazarla con la verdad, y recordar la verdad.

En los capítulos 6 a 13 de este libro, tendrás la oportunidad de llenar Cuadros de Mentira/Verdad que atacan mentiras específicas que se presentan en el capítulo y las que utiliza Satanás para atacarte personalmente. Además, el Cuadro de Mentira/Verdad está diseñado para darte al menos un versículo bíblico que te recuerda de la verdad, y la misma verdad, puesta en tus propias palabras.

Al final del libro, hay un gran Cuadro de Mentira/Verdad para llenar con las verdades que más te llaman la atención mientras lees el libro (pg. 295). Además, puedes bajar una copia del Cuadro desde nuestra página web (www.HermanaRosadeHierro.com). Así puedes utilizar esa hoja como un recurso y ponerla en un lugar donde la verás con mucha frecuencia. De esta forma sirve como referencia cuando Satanás te ataca.

Cada semana, toma al menos una verdad (o un versículo) y anótala en una ficha que puedes poner en el espejo o en la cocina… en un lugar donde la verás diariamente. También puedes ponerla como nota en tu teléfono. Estas estrategias de memoria son maneras prácticas para ayudarnos a que atesoremos las verdades de Dios en nuestro corazón, en nuestra mente, y que renueven nuestra identidad en Cristo.

No te intimides por las que conocen la Biblia más que tú, ni las que pueden citar libro, capítulo, y versículo. Estamos juntas en este camino, y con más práctica y tiempo en la Palabra, todas creceremos en nuestra capacidad para recordar la verdad y vivir según ella.

Antes de seguir en este camino transformador juntas, te animo con unas sugerencias para la lectura bíblica:

> Revisa múltiples versiones de la Biblia. Aunque todas tenemos nuestra versión preferida, leer otra versión nos puede ampliar el entendimiento de la Biblia. Algunas versiones se enfocan en una traducción palabra por palabra, y otras frase por frase. Cada una tiene sus ventajas como la espada viva y eficaz. Una cierta versión puede expresar la verdad que necesitas escuchar de una forma que te renueva y que corta las mentiras de Satanás que más enfrentas.

> Los recursos en línea son una manera maravillosa para tener acceso a varias versiones. Además, proveen una función de búsqueda como concordancia:
  o www.BibleGateway.com

- o www.BlueLetterBible.org
- o www.Bible.com
- o Cada una de estas páginas web tienen una versión para el teléfono móvil o el tableta también.

➢ Familiarízate con el uso de una concordancia (una lista de cuantas veces aparece una cierta palabra o frase en las Escrituras). Muchas Biblias impresas tienen una pequeña concordancia al final. La concordancia nos ayuda a referir a una palabra específica y verla en sus contextos particulares a lo largo de la Biblia. Te animo a ver la palabra en todo su contexto, no sólo el versículo en el que se encuentra.

➢ Las notas a pie de página no se encuentran en algunas versiones de la Biblia en línea, pero cuando aparecen, sirven como referencia del versículo citado en el contexto. Veremos a muchas notas a pie de página en el capítulo 2, "En mi corazón atesoro tus dichos," cuando Jesús cita el Antiguo Testamento para responder a Satanás.

Le pido a Dios que llegues a conocer la verdad de la Palabra y el poder transformador que tiene en nuestras vidas. Le pido que te familiarices con la Biblia y que aproveches Su fuerza cuando te sientes atacada por las mentiras de Satanás.

Vamos a cerrar este capítulo tal como cerraremos cada capítulo, con los Elementos Comunes. Representan las tres partes del logotipo del Ministerio Hermana Rosa de Hierro, y tienen una aplicación adicional para las mentiras y la verdad. Los Elementos Comunes son una manera de hacer que cada lección sea personal y práctica, y adicionalmente, dan la oportunidad de orar las unas por las otras en el contexto del grupo pequeño.

Además, los Elementos Comunes son una herramienta con la cual podemos crecer en nuestras amistades espirituales como Hermanas Rosa de Hierro – para ser ese hierro afilando a hierro al animarnos e inspirarnos a que seamos tan bellas como rosas a pesar de unas espinas. Al caminar en este camino transformador juntas, te invito a aprender lo que significa tener a alguien como afiladora en tu vida, una compañera en oración, y una amiga en Cristo: una Hermana Rosa de Hierro.

Tal como los Elementos Comunes sirven como herramienta de oración, para afilarse, y luego la aplicación personal, te animo a poner la fecha en cada capítulo para que cumpla la función de un diario espiritual también. Espero que vuelvas a revisar este libro después de un tiempo para regocijarte en tu crecimiento.

Puede que los Elementos Comunes para esta semana vengan de lo que vimos en el sermón del monte o del concepto de la transformación. Te animo a pasar un tiempo en oración considerando las maneras en las cuales Dios ya está caminando contigo para reconocer las mentiras, reemplazarlas con la verdad, y recordar la verdad. Cuando te reúnes como grupo, asegúrate de apartar un tiempo para compartir los Elementos Comunes las unas con las otras, y para orar.

Elementos Comunes:

 Una manera en la que quieras crecer o florecer, abundando en fe, esperanza, y amor a través de la verdad.

Una espina (o mentira) que desees eliminar y
reemplazar con la verdad.

Un elemento que quieras profundizar o un área en la que
necesitas a alguien como afiladora en tu vida (ayuda para
reconocer una mentira o recordar la verdad).

Un versículo que habla directamente a una mentira mencionada
en este capítulo.

Ya hemos logrado bastante en este primer capítulo. Gracias por
acompañarnos en esta caminata transformadora, hecha posible por
el poder de la Palabra. Qué Dios te bendiga con una vida
abundante de fe, esperanza, y amor, al reconocer la mentira, reemplazarla con la verdad, y recordar la verdad. El poder de la
verdad transforma, y Dios te invita a conocer esta transformación
y darle a Él la última palabra.

CAPÍTULO 2

En mi corazón atesoro tus dichos

Mientras más tiempo lees la Biblia, más te va a gustar; se endulzará; y mientras más conoces el espíritu de ella, más conocerás el espíritu de Cristo. – Romaine

Con una palabra, Dios creó al mundo. Con una palabra, Jesús sanó al hijo del funcionario y el funcionario "creyó lo que Jesús dijo y se fue" (Jn. 4:50).

Con una palabra, Pedro traicionó a su Señor. Pero luego, Dios transformó sus palabras, y predicó un sermón guiado por el Espíritu Santo en el día de Pentecostés. De esta manera, afirmó lo que dijo con Juan que "nosotros no podemos dejar de hablar de lo que hemos visto y oído" (Hch. 4:20).

Moisés no se sintió capaz de proferir palabras elocuentes. Sin embargo, Dios le usó para declarar al Faraón las palabras libradoras de la promesa para el pueblo de Dios, "Deja ir a mi pueblo" (Ex. 5:1).

Las palabras son poderosas. Las palabras han logrado paz y han comenzado guerras. Las palabras pueden comenzar una relación, y la pueden terminar así de rápido también. Las palabras pueden afirmar o negar, animar o destruir, liberar o atrapar.

Puede ser que las palabras no estén escritas en piedra, pero están escritas en nuestros corazones de tal manera que afectan quiénes somos, guían lo que hacemos, e informen las decisiones que tomamos.

¿A qué palabras escuchas? Más importante aún, ¿a las palabras de quién escuchas?

Así como en las caricaturas, deliberamos sobre cuál voz escuchar: el diablito o el angelito, la mentira o la verdad. Deliberamos como un jurado para determinar el veredicto, considerando la evidencia, y escuchando los argumentos de ambos lados.

¿A quién le das la última palabra? ¿Quién tiene el argumento final sobre las mentiras que dan vueltas en tu mente y amenazan con destruirte?

Gracias a Dios, tenemos a Cristo como nuestro mediador y abogado (1 Tim. 2:5). Jesús es el mejor abogado para presentar el argumento final y verbalizar la verdad, no sólo en nuestra defensa ante el Padre, más también para la batalla en nuestras mentes. Te invito a atesorar a Cristo y la Palabra del Padre, en tu corazón para que así, Él pueda tener la última palabra. A través de Cristo, quien *es* la Palabra (Jn. 1), podemos reconocer las mentiras, reemplazar las mentiras con la verdad, y recordar la verdad, reclamando la vida abundante que Él ofrece.

En el principio ya existía el Verbo, y el Verbo estaba con Dios, y el Verbo era Dios. En él estaba la vida y la vida era la luz de la humanidad. Esta luz resplandece en las tinieblas, y las tinieblas no han podido extinguirla. Y el Verbo se hizo hombre y habitó entre nosotros. Y hemos contemplado su gloria, la gloria que corresponde al Hijo unigénito del Padre, lleno de gracia y de verdad. (Jn. 1:1, 4-5, y 14)

El Verbo vino lleno de gracia y de verdad. Como vida y luz, el Verbo fue lleno de poder para conquistar la muerte y aplastar a Satanás. **El Verbo se hizo carne y fue la última respuesta, el argumento final para todas nuestras luchas y debates internos.**

Tenemos acceso al poder, la gracia, y la verdad a través de la vida en Cristo. ¡Qué promesa! También tenemos la capacidad de recordar esas verdades por la Palabra de Dios, escrita en la Biblia.

Aprovechando el poder de la Palabra

Salmo 119 es una declaración poética, del pastor David acerca de la belleza y el poder de la Palabra de Dios. Es el capítulo más largo de la Biblia con un rico lenguaje que nos recuerda la naturaleza transformadora de la Palabra cuando la ponemos en práctica.

Usa el Salmo 119 para tu tiempo devocional esta semana, meditando en las maneras en las que David resalta los méritos de la Palabra. Él pide a Dios que reemplace sus propias mentiras con la verdad de la Palabra. ¡Qué ejemplo tan poderoso!

A lo largo del capítulo, David usa muchos sinónimos para describir la Palabra de Dios. En los versículos 1 al 12, vemos al menos ocho referencias distintas de la Palabra.

Para el siguiente ejercicio:

➢ Lee Salmo 119:1-12 y enumera en la siguiente página, en la primera columna, la descripción de la Palabra.

➢ En la segunda columna, explica lo que esa descripción implica sobre la Palabra.

➤ Cuando te reúnes con tu grupo pequeño (tus Hermanas Rosa de Hierro), puede que sus listas no concuerdan exactamente si es que están usando versiones diferentes de la Biblia. ¡Qué tremenda oportunidad de aprovechar otra perspectiva sobre la Palabra!

➤ Puedes usar un diccionario también para entender las diferentes descripciones de la Palabra de Dios, y lo que implican.

Descripción de la Palabra de Dios	Lo que significa o implica esa descripción
1. La ley del Señor	Una guía establecida que debemos obedecer
2. Estatutos	
3.	
4.	
5.	
6.	
7.	
8.	
9.	
10.	

¿Qué implican las descripciones mencionadas sobre el papel de la Palabra en nuestras vidas hoy día?

¿No es maravilloso contemplar sobre las aplicaciones diversas que la Biblia nos regala para todo aspecto de nuestras vidas? Jesús mismo la conoció y aprovechó de su poder cuando fue atacado y tentado por Satanás. Cristo nos proveyó el modelo perfecto de cómo combatir los ataques de Satanás y cortar las mentiras que se nos presentan. Son mentiras que nos hacen caer, que nos impiden el crecimiento, y que nos inhiben de la vida abundante, mentiras que nos distraen para que no abundemos en la fe, la esperanza, y el amor que Dios anhela que todas tengamos.

Cómo Jesús usó la Palabra cuando fue tentado:

Veamos la tentación de Jesús como modelo para enfrentar las mentiras de Satanás en Mateo 4. Es el mismo patrón que seguiremos para el resto del libro. Leamos los versículos del 1 al 11.

Satanás aprovecha de nuestras debilidades. ¿Cuál es la debilidad que Satanás aprovecha en la primera tentación (Mt. 4:2-3)?

La mentira más fácil de creer es la que tiene un elemento de la verdad. ¿Cuál es la parte verdadera de lo que Satanás dice en el versículo 3?

¿Tenía Jesús el poder para convertir las piedras en pan?

¿Hubiera sido algo malo cambiar las piedras en pan? ¿Por qué sí o por qué no?

¿Cómo le contestó Jesús a Satanás?

¿Dónde se encuentra ese versículo? (Puedes ver la nota a pie de página en tu Biblia para saber dónde se encuentra el pasaje citado.)

¿Cuál es el significado de ese versículo de que el hombre no vive sólo del pan? ¿Qué quiere decir vivir de toda palabra que salga de la boca de Dios?

Veamos ahora la segunda tentación. ¿Con qué le tienta Satanás a Jesús?

¿Qué cita Satanás?

¿Viste? Satanás mismo citó la Biblia.

¿Cómo podemos discernir cuál versículo obedecer si es que parece que está en desacuerdo con otro, como cuando Jesús y Satanás citan la Biblia en la segunda tentación?

Considera la fuente

¿Cómo supo discernir Jesús? Consideró la fuente.

Empezando en la escuela secundaria, yo había cambiado de una escuela privada cristiana para la primaria, a una escuela pública en el centro de Baton Rouge, Luisiana. Fueron los años 1980, así que se hablaba mucho de los peligros del sexo, las drogas, y la música rock. Videos de música y mensajes subliminales estaban comenzando con su influencia. Los aspectos sexuales de esa influencia se van a mencionar en el capítulo: "Mentiras de una naturaleza sexual" (cap. 12). Desde mi perspectiva ingenua e inocente, pensé que no sólo todos los muchachos con los cuales iba en el autobús a la escuela iban al infierno, sino yo también por respirar el mismo aire.

Queda sin decir que yo estaba pasando por un shock cultural y fue obvio para los demás estudiantes que yo no encajaba bien. Los años pre-adolescentes son difíciles de navegar para todos, aun sin vivir una transición como la que viví yo. Es cuando uno está buscando su propia identidad, las hormonas empiezan a confundir el asunto, y hay muchas lecciones por aprender. Encima de todo esto, habría que estudiar.

Como parte de mi transición personal, no estaba segura de cómo manejar las burlas de quienes lo hacían de gran manera, me fastidiaban, y me atormentaban. Muchas veces les pude ignorar y no fijarme en sus burlas, pero a veces me afectaron sus comentarios y me dolieron.

Me acuerdo que en una ocasión, le pedí consejos a mi mamá. Empecé a creer las mentiras que me dijeron y a sentir el peso de su negativismo. Mi mamá me dijo, "Considera la fuente." ¿Vinieron esas burlas y criticas de alguien que me amaba y que quería lo mejor para mí o de compañeros de clase, inseguros de sí mismos y buscando ensalzarse al burlarse de mí?

Por favor, no escuches que estoy llamando a mis compañeros de clase Satanás en carne viva. Sin embargo, creo que sus ataques fueron similares a los de Satanás y que siempre es sabio considerar la fuente.

En Mateo 4:7, Jesús reconoció que las palabras de Satanás fueron una prueba, una verdad distorsionada con la intención de atrapar a Jesús. ¿Cómo le contesta a Satanás en el versículo 7?

¿Dónde se encuentra ese versículo que cita?

Jesús no sólo consideró la fuente, más también se aferró a las verdades mayores de las Escrituras que no pudieron ser opacadas por un versículo fuera de contexto.

En la tercera tentación, vemos a Jesús volver a la enseñanza más básica de Dios y callar a Satanás con la verdad de ella. Vuelve a leer los versículos 8-11 de Mateo 4.

¿Cuál es la media-verdad con la que Satanás tienta a Jesús?

¿Cómo responde Jesús? (No se te olvide incluir la cita bíblica.)

Vamos a Deuteronomio 6:4-9. ¿Cuál es el desafío que se presenta a los Israelitas que aplica para hoy también?

¿Dónde más vemos la enseñanza de Deuteronomio 6, o la misma enseñanza con la que Jesús responde a Satanás?

Dado que la respuesta de Jesús refleja los primeros dos de los Diez Mandamientos (Ex. 20:3-6), y el primero de los Grandes Mandamientos (Mt. 22:37-38), ¿qué aprendemos sobre cómo responder a los ataques de Satanás?

Las verdades mayores

Hay verdades universales y fundamentales, verdades "mayores" que no se pueden desmentir. Yo las llamo verdades mayores, de las cuales el mismo Jesús pudo confiar y depender para poner a Satanás en su lugar.

Se cuenta la historia de un maestro de música cuyo viejo amigo le vino a visitar y le preguntó qué buenas nuevas le tenía para hoy. El viejo maestro quedó callado al pararse y al caminar al otro lado de la sala. Levantó un martillo y le dio a un afinador de música. Al sonar la nota por toda la sala, dijo, "Es un *la*." Es *la* hoy; fue *la* hace cinco mil años, y será *la* dentro de diez mil años más. La soprano arriba canta desafinado; el tenor en frente no llega a las notas agudas sin distorsionarlas, y el piano abajo no lleva el tono bien." Tocó la nota otra vez y dijo, "Es un *la*," mi amigo, y esas son las buenas nuevas para hoy."

Nuestro Dios es el mismo ayer, hoy, y siempre (Heb. 13:8). "Porque el Señor es bueno y su gran amor es eterno; su fidelidad permanece para siempre" (Sal. 100:5). ¡Y esas, mis amigas, son las buenas nuevas de hoy!

¿A cuál versículo siempre puedes ir para recordarte de las verdades eternas de Dios? Enumera al menos tres versículos que te recuerdan de las promesas de Dios y los que atesoras en tu corazón. Si no sabes dónde se encuentra el versículo, es un buen momento para utilizar una concordancia.

Podemos depender de las verdades fundamentales. Ellas son como las raíces de nuestra fe cuando se nos presentan las tormentas de la vida.

Te invito a deleitarte en la Palabra tal como David hizo y a pasar un tiempo en la Palabra de Dios como una manera de conocerle más personal, completa, y profundamente. Fortalecerá tu fe, te llenará de esperanza, y te culminará del gran amor de Dios.

Tal como Jesús hizo en el desierto cuando fue tentado, podemos contar con las verdades fundamentales que se encuentran en la Biblia como la fundación de nuestra fe. Estas verdades son una herramienta excelente para combatir las mentiras que Satanás nos susurra en nuestros momentos débiles.

Estemos arraigadas y establecidas en las verdades fundamentales – no para convencer a otros de nuestro punto de vista ni para entrar en un debate doctrinal. Ese no es el propósito de este libro. Al contario, es de enamorarnos más de Dios a través del poder transformador de Su Palabra. Y por lo mismo, abundaremos en fe, esperanza, y amor, y estaremos preparadas para los ataques de Satanás.

Me gustaría hacer eco a la oración de Pablo sobre los Efesios como mi oración sobre Uds. al leer *¿Quién tiene la última palabra?*

"Le pido que, por medio del Espíritu y con el poder que procede de sus gloriosas riquezas, los fortalezca a ustedes en lo íntimo de su ser, para que por fe Cristo habite en sus corazones. Y pido que, arraigados y cimentados en amor, puedan comprender, junto con todos los santos, cuán ancho y largo, alto y profundo es el amor de Cristo; en fin, que conozcan ese amor que sobrepasa nuestro conocimiento, para que sean llenos de la plenitud de Dios." (Ef. 3:16-19)

Elementos Comunes:

Puede ser que no tengas una respuesta clara a todos los Elementos Comunes para esta semana, pero te animo a pasar un tiempo en oración con ellos. Puede que se te revelan después del tiempo con tus Hermanas Rosa de Hierro.

Una manera en la que quieras crecer o florecer, abundando en fe, esperanza, y amor a través de la verdad.

_____

_____

Una espina (o mentira) que desees eliminar y reemplazar con la verdad.

_____

_____

Un elemento que quieras profundizar o un área en la que necesitas a alguien como afiladora en tu vida (ayuda para reconocer una mentira o recordar la verdad).

_____

_____

Un versículo que habla directamente a una mentira mencionada en este capítulo.

_____

_____

CAPÍTULO 3

Reconocer la mentira

Una pequeña mentira es como un pequeño embarazo – no tarda en que todos sepan. – C.S. Lewis

El pecado tiene muchas herramientas, pero una mentira es la palanca que mueva a cada uno. – Edmund Burke

La persona más fácil de decepcionar es uno mismo. – Desconocido

Puedes robar un banco con una pistola de juguete porque alguien cree la mentira. No apruebo esta práctica, pero igual me asombra. Ignorando el hecho de que robar un banco es una acción ilegal, me parece ridículo que alguien intentaría hacerlo usando una pistola de juguete. ¿Pero quién es más tonto, el ladrón usando una pistola de juguete o el banquero que cree la mentira y le entrega el dinero?

Una mentira tiene el poder que le damos al creerla y actuar según ella. Si el banquero hubiera sabido de pistolas, quizás reconocería la falsa y no se quedaría paralizado del temor.

Podemos reconocer la mentira mejor cuando conocemos la verdad.

Nota: Aunque el enfoque de este capítulo es de reconocer la mentira, recuerda que es sólo el primer paso en la transformación. Los capítulos 4 y 5 nos llevarán por los pasos de reemplazar la mentira y recordar la verdad.

El departamento de tesoros de los EE.UU., al entrenar a sus agentes para reconocer billetes falsos, hace que pasen todo su tiempo estudiando todo detalle de los billetes verdaderos. No miran ni un billete falso. ¿Por qué creen que tiene esa práctica?

Dios anhela demostrarnos la fe, la esperanza, y el amor genuinos para que podamos inmediatamente reconocer las manifestaciones falsas de la vida abundante. Satanás "se disfraza de ángel de luz" (2 Cor. 11:14), pero su meta es la de un ladrón: robar, matar, y destruir (Jn. 10:10a). Está usando una pistola de juguete, una herramienta débil que, cuando sea expuesta, se decae, y una vez sacada del camino, nos permite tener vida en abundancia (Jn. 10:10b).

Vamos a explorar unos versículos más sobre Satanás al tratar de comprender el enemigo que nos confronta. Así le ponemos en su lugar. Al leer los siguientes versículos, anota las descripciones de Satanás y sus artimañas.

Juan 8:44

Marcos 4:1-20 (esp. versículo 15)

1 Pedro 5:8

Génesis 3:1

 Al ver estas descripciones del diablo, ¿cómo es que Satanás ahoga la verdad?

 ¿Por qué Satanás quiere subestimar la verdad?

Las artimañas iniciales de Satanás

Volvamos al principio con la primera decepción en Génesis 3. Puede que tu Biblia siga abierta allí. Lee la historia completa, los versículos del 1 al 13.

¿Cómo comienza su ataque la serpiente en versículo 1?

¿Cómo responde Eva a la duda que se ha introducido?

 ¿De qué manera atrapa Satanás a Eva con la decepción en Génesis 3:4-5? (Refiere también al versículo 22.)

Se ha dicho que la mentira más fácil de creer es la que tiene un elemento de verdad. ¿Estás de acuerdo? ¿Por qué sí o por qué no?

 ¿Mintió la serpiente o engañó a Eva? ¿Existe alguna diferencia?

Sin importar si Satanás le mintió o le engañó, Eva pudo elegir: confiar en Dios y en Sus mandatos para su propio bien, o ser seducida por la mentira de Satanás. Dios nos ama y quiere lo mejor para nosotras. Satanás quiere minar y romper esa relación. Cuando caemos en las trampas engañosas y las mentiras atractivas, entra el pecado, y el pecado nos separa de Dios (Is. 59:1-2).

Lee Génesis 3:21-24.

"El ser humano ha llegado a ser como uno de nosotros, pues tiene conocimiento del bien y del mal." ¿Qué significa tener el conocimiento del bien y del mal? ¿Y qué debemos hacer con ese conocimiento?

Aferradas a la fe verdadera, la esperanza verdadera, y el amor verdadero

Tenemos que aprender a discernir entre el bien y el mal. Sin embargo, al buscar la aclaración y el discernimiento, Satanás quiere distorsionar la distinción y las definiciones.

Volviendo a Eva en Génesis 3, Satanás trabajó para subestimar su fe. Le ofreció una esperanza falsa, e hizo que ella se olvidara de la profundidad de amor que Dios tenía para Adán y Eva.

¿Cómo se describen la fe, la esperanza, y el amor que Dios tenía para Eva *antes* de que ella comiera la fruta y cayera en la trampa de Satanás?

La fe

La esperanza

El amor

¿De qué manera socavó Satanás la fe, la esperanza, y el amor que Eva tenía para Dios?

 Escribe una respuesta que Eva pudiera haber dado a Satanás, usando las verdades de la fe, la esperanza, y el amor que tenía ella en Dios.

Eva había perdido su enfoque. 2 Corintios 11:3 nos da una advertencia similar, "Pero me temo que, así como la serpiente con su astucia engañó a Eva, los pensamientos de ustedes sean desviados de un compromiso puro y sincero con Cristo."

Si permitimos que la influencia de Satanás inquiete nuestra fe, perdemos de vista nuestra esperanza, y no nos sentimos amadas. Es fácil distraernos, llegar a una visión distorsionada de la verdad y así perder nuestro compromiso puro y sincero con Cristo. Puede que no lo reconozcamos, si la dejamos a nuestro propio criterio. **Dios nos ha dado Su Palabra y Su cuerpo, la iglesia, para guiarnos y ayudarnos a revelar las mentiras que nos tienen atrapadas.** Sin embargo, como Santiago nos explica, si no hacemos nada con la verdad que llegamos a conocer, si sólo escuchamos la Palabra, nos estamos engañando.

Lee Santiago 1:22-25.

¿En qué sentido es la Palabra como un espejo?

La Palabra es como un espejo

No puedo leer Santiago 1:22-25 sin pensar en la siguiente historia. Estaba trabajando para la Iglesia de Cristo en el norte de Atlanta. Trabajé como asistente al director de misiones. Una de mis responsabilidades era servir como enlace para los misioneros sostenidos por esa iglesia. Estuve recién graduada de la universidad y lista para conquistar el mundo. Trabajaba allí en preparación para unirme a un equipo que iba a Bogotá, Colombia, en un futuro cercano. Ya estaba estudiando el español y me emocionaba ser parte de varias campañas, campamentos, retiros de damas, y colaborar en el inicio de nuevas congregaciones en México, Colombia, y Venezuela.

Además, la congregación en Atlanta sostenía obras misioneras en Rusia y Kazakstán. Mi amor por viajar me impulsó a esas aventuras también, pero admito que al anticipar el mes que iba a pasar en Irkutsk, Rusia, tuve una mala actitud. Le estaba preguntando a Dios cómo me iba a usar en un lugar donde no conocía el idioma ni la cultura. ¡Y donde hacía mucho frío! Esta chica de Luisiana nunca había vivido fuera del caluroso sur de los EE.UU..

Encontré un abrigo en oferta y me regalaron unas botas para el invierno antes de irme de viaje. A mi actitud le hacía falta una mejoría. Ahí me acordé de uno de mis versículos favoritos, "Heme aquí. ¡Envíame a mí!" (Is. 6:8)

El viaje tardó más de 24 horas. Así que recuerdo poco del tour por carro que hicimos de Moscú, pero sí me acuerdo bien de los hombres parados en las alas de avión rompiendo el hielo para que pudiéramos partir. En ese momento, estuvimos en un bus más lleno de gente que jamás había visto, sentido, u olido. Y no pensé en el frío porque tuvimos más calor al estar tantas personas en tan poco espacio durante ese tiempo. Por fin llegamos a Irkutsk y tratamos de recuperarnos del viaje.

Una de las maneras en la que los misioneros estaban sirviendo y conociendo a la comunidad local fue a través de cursos de inglés usando la Biblia como libro de texto. Les acompañamos y hasta enseñamos unas clases. Fue una buena oportunidad para conocer a nuevas personas, servir, y anunciar el evangelio.

Una de las estudiantes que conocí en la clase de principiantes se llamaba Yulia. Su inglés limitado y mi ruso inexistente no nos facilitaban la comunicación, pero rápidamente descubrí que ella estaba en la universidad estudiando, adivina qué: ¡el español! No lo podía creer y empecé a reírme del sentido de humor de Dios.

Yulia y yo empezamos a conversar en español. Sí. Una rusa y una norteamericana en Irkutsk, Rusia, hablando español. Todavía me maravillo al recordarlo. Yulia y yo estudiamos la Biblia juntas y una tarde le conté sobre el etíope eunuco (Hch. 8:26-40) y las cuatro cosas que admiraba mucho de él. 1) Entendió la importancia de adorar a Dios y viajó larga distancia para hacerlo. 2) Valoró la Palabra de Dios y la leyó mientras viajó. 3) Cuando tuvo una pregunta, la hizo y Dios mandó a Felipe a que le contestara. 4) Cuando entendió lo que tenía que hacer, lo hizo de inmediato: se bautizó.

A Yulia le pareció intrigante la historia y tuvo muchas preguntas. Yo le agradecí su deseo de conocer y ella me dio gracias por dejar que Dios me usara como Felipe para contestarle esas preguntas. Luego, me preguntó si podía también contestar algunas preguntas que tenía su compañera de vivienda, preguntas sobre Dios y la Biblia. Asentí de inmediato e hicimos planes para que yo fuera a su apartamento la siguiente tarde.

Yulia vivía con cuatro chicas, todas estudiantes de la universidad. Entramos en una de las habitaciones para poder estudiar con Yulia y su compañera. Enseñé en español y Yulia tradujo del español al ruso. Sé que Dios tuvo una gran sonrisa pensando sobre la manera en la que me pudo usar en ese momento.

Mientras estudiamos, otra compañera entró tropezándose y con un vaso de líquido transparente en la mano. Estaba borracha y preguntó en ruso mal articulado, "¿Qué están haciendo?"

Yulia, obviamente avergonzada y sin palabras, levantó su Biblia y dijo con timidez, "Estamos estudiando la Biblia." Inmediatamente, la compañera que entró se paró derechito, se puso pálida, volteó sin decir nada, y salió por la puerta donde entró.

Todas guardamos silencio por un momento, absorbiendo lo que acababa de pasar. Luego Yulia empezó a pedir disculpas por el comportamiento de su compañera, aclarando que ella no tomaba así, y preguntando si me había ofendido tanto que no pudiéramos seguir con el estudio. Le aseguré a Yulia que no tenía nada de qué preocuparse y que no me tenía que pedir disculpas. "Yulia," le dije, "está bien. **Es que es la primera vez que ella se ve reflejada en el espejo de la Palabra de Dios.**"

 ¿Alguna vez te has compungido de corazón de esa manera? ¿Estuviste compungida por lo que viste en las Escrituras?

Anota el versículo o la historia bíblica que te conmovió. Incluye detalles sobre los eventos en los que se presentó esa situación.

¿Cómo te sentiste al ser compungida así o al reconocer la mentira?

Al quedar expuesta la mentira, viene también cierta vulnerabilidad.

Las mentiras son personales

Todas luchamos con distintas mentiras. Por eso debemos tener cuidado de no descartar el dolor y los problemas asociados con las mentiras que atrapan a otras o pensar que deben descartar esa mentira de inmediato. Estamos todas en la misma lucha y Dios nos ha dado un Gran Consolador para afirmar nuestro dolor y caminar con nosotras hacia la libertad.

Satanás sabe cómo aprovechar nuestras debilidades respectivas. Yo, por ejemplo, tuve que reconocer la mentira de Satanás que el hecho de ser humana significaba que estaba viviendo según la carne, y por lo tanto, estaba pecando. Un estudio de la vida de Jesús me liberó de esa mentira y me mostró que podía permitirme ser humana, tal como Jesús fue humano, y hacerlo de una manera santa. Si quieres aprender más sobre esa mentira específica, puedes revisar el primer estudio del Ministerio Hermana Rosa de Hierro, *Humano Y Santo*.

Puede que ésa no sea una mentira con la cual luchas, pero estoy segura de que hay mentiras que son reales para ti. He colocado la mentira que antes mencioné en el Cuadro de Mentira/Verdad en la próxima página.

Usando los versículos de verdad en la tercera columna, escribe una mentira que se puede reconocer a la luz de esa verdad. Puede que sea una mentira con la cual luchas, o no. Pero te animo a ser específica sobre las maneras en las cuales Satanás ataca usando esa mentira. El padre de la mentira y el que decepciona no quiere ser reconocido. Sin embargo, vamos a darnos la oportunidad de llamarle la atención y revelar quién es, a través de sus mentiras que atrapan. No se te olvide reemplazar la mentira con la verdad en tus propias palabras.

RECONOCER la mentira (en tus propias palabras)	REEMPLAZAR la mentira con la verdad (en tus propias palabras)	RECORDAR la verdad (referencia bíblica)
1. Si me permito ser humana y expresar la intensidad de las emociones humanas que siento, estoy viviendo según la carne, y de esa forma, estoy pecando.	Jesús vino en la carne y enfrentó las mismas emociones y condiciones humanas que se me presentan, pero vivió sin pecado. Expresar mis emociones de una forma saludable y santa no es un pecado.	"Por lo tanto, ya que en Jesús, el Hijo de Dios, tenemos un gran sumo sacerdote que ha atravesado los cielos, aferrémonos a la fe que profesamos. Porque no tenemos un sumo sacerdote incapaz de compadecerse de nuestras debilidades, sino uno que ha sido tentado en todo de la misma manera que nosotros, aunque sin pecado. Así que acerquémonos confiadamente al trono de la gracia para recibir misericordia y hallar la gracia que nos ayude en el momento que más la necesitemos." Heb. 4:14-16

RECONOCER	REEMPLAZAR	RECORDAR
2.		"Todas las promesas que ha hecho Dios son «sí» en Cristo. Así que por medio de Cristo respondemos «amén» para la gloria de Dios." **2 Cor. 1:20**
3.		"Hace mucho tiempo se me apareció el Señor y me dijo: Con amor eterno te he amado; por eso te sigo con fidelidad, Entonces las jóvenes danzarán con alegría, y los jóvenes junto con los ancianos. Convertiré su duelo en gozo, y los consolaré; transformaré su dolor en alegría." **Jer. 31:3, 13**

¿Cuáles aspectos de fe, esperanza, y amor ves en las verdades encontradas en el Cuadro de Mentira/Verdad?

Cuando te reúnes con tu grupo pequeño de Hermanas Rosa de Hierro, comparte las columnas *Reconocer* y

Reemplazar las unas con las otras. Fíjense en las maneras únicas en las que cada una expresa sus respuestas y de cómo Satanás nos ataca de diferentes formas. Aun así, el poder de la verdad que encontramos en *Recordar* es la misma, para dar a Dios la última palabra.

 Comparte dos beneficios de escribir las verdades y las mentiras.

Reconocer la mentira con la luz

Escribir las mentiras y las verdades es similar a verbalizarlas o confesar nuestros pecados. Tal como confesar nuestros pecados los unos a los otros (Sant. 5:17) quita parte del poder que el pecado tiene sobre nosotros, verbalizar la mentira también quita parte del peso de esa realidad distorsionada. Sé que no es un paso fácil de tomar, pero es un paso poderoso y necesario. Si la idea de verbalizar una mentira personal a una hermana en Cristo, una Hermana Rosa de Hierro, te abruma en este momento, te animo a verbalizarla a Dios, por lo menos. Permite que Él lleve la mentira a la luz, y que te quite esa carga de encima.

Hablando de llevar las mentiras a la luz, quiero cerrar este capítulo con los siguientes versículos.

¿Con qué compara Pablo el engaño y la verdad en Efesios 5:16-17?

¿Qué relación tienen la luz y la verdad según Jesús en Juan 3:21?

No podemos reconocer las mentiras hasta que las llevemos a la luz de la Palabra. Y cuando las revelamos, como las cucarachas, ¡huirán!

Le pido a Dios que a través de este estudio, puedas llegar a reconocer algunas mentiras de Satanás en tu vida personal, que las lleves a la luz, y que encuentres la fe, la esperanza, y el amor que tenemos en Dios, que quizás Satanás te haya opacado.

¡Vamos a reconocer las mentiras y dar a Dios la última palabra en esas áreas específicas!

Elementos Comunes:

 Una manera en la que quieras crecer o florecer, abundando en fe, esperanza, y amor a través de la verdad.

_____

_____

Una espina (o mentira) que desees eliminar y reemplazar con la verdad.

_____

_____

Un elemento que quieras profundizar o un área en la que necesitas a alguien como afiladora en tu vida (ayuda para reconocer una mentira o recordar la verdad).

_____

_____

Un versículo que habla directamente a una mentira mencionada en este capítulo.

_____

_____

CAPÍTULO 4

Reemplazar la mentira con la verdad

La verdad siempre es el mejor argumento. – Sophocles

Averiguar la verdad es sólo la mitad del camino. Es lo que haces con esa verdad que más importa. – Zach, *La vida secreta de las abejas*[2]

Reconocer la mentira es sólo el primer paso. Sumamente importante es el siguiente paso: reemplazar la mentira con la verdad. Creo que todas quisiéramos que eso nos pasara de forma inmediata, como tomar una bebida de energía y recibir un golpe de adrenalina espiritual cada vez que leemos o estudiamos la Biblia. Puede que ese golpe espiritual nos llegue ocasionalmente, pero los beneficios de la Palabra de Dios se tratan más de tomar las vitaminas o comer los vegetales. Lo hacemos para el beneficio a largo-plazo, no porque cada vez que comemos la espinaca, de repente nos salgan los músculos como le pasaba a Popeye. Con el tiempo, las vitaminas y los vegetales nos benefician

---

[2] Fox Searchlight Pictures, 2008. [The Secret Life of Bees]

en nuestra salud física, la resistencia a las enfermedades, y nuestro bienestar general.

Lo mismo pasa con leer la Biblia. A veces, nos impacta de inmediato, como le pasó a la compañera de Yulia como les conté en el capítulo 3. Sin embargo, el valor duradero está en el efecto cumulativo que viene con el tiempo expuesto a la Palabra de Dios. Con el tiempo y con la constancia, reemplazaremos las mentiras con la verdad de tal manera que la verdad se convierta en quién somos y cómo nos identificamos: una hija querida de Dios.

¿Qué pasa cuando nos enfocamos en la mentira? Permíteme una ilustración: Es el Año Nuevo y decidiste acompañar a tu amiga en el gimnasio y con una dieta que elimina el azúcar por los primeros treinta días. No hay problema, ¿cierto? Pero... llega el 8 de enero, el cumpleaños de tu hermana. Lo único en que puedes pensar es su torta de chocolate favorita que van a servir en la fiesta. Te consume la torta de chocolate. Todo pensamiento se concentra en la torta de chocolate. La fiesta es mañana y tu resolución de cumplir con la dieta está en peligro. ¡Es torta de chocolate!

Pero estás resuelta a conquistar esta tentación. "No voy a pensar en la torta de chocolate. No voy a pensar en la torta de chocolate. ¡NO voy a pensar en la torta de chocolate!" ¿Cuál es la única cosa en la que estás pensando? Sip. La torta de chocolate.

Hay que reemplazar los pensamientos de la torta de chocolate con otra cosa, por ejemplo: "Voy a llevar un chocolate sin azúcar a la fiesta y enfocarme en la bendición del tiempo con la familia." ¿Problema resuelto? No para siempre, pero quizás para la fiesta del cumpleaños y la tentación de hoy.

Reemplazar la mentira con la verdad

 ¿Qué pasa cuando no reemplazamos una mentira con la verdad?

Mateo 12:43-45 nos pinta una historia que destaca la importancia de reemplazar una mentira con la verdad. ¿Qué describe Jesús en estos versículos?

¿Qué hizo que la condición final del hombre fuera peor que la del principio?

¿Cómo pudiera haberlo evitado?

 ¿Se puede decir que una mentira que nos haya agarrado y que haya formado parte de nuestra identidad es una fortaleza?[3] Describe una fortaleza personal y permite que reflexiones sobre una fortaleza específica en tu vida.

---

[3] Una fortaleza es algo que te detiene o te impide, algo que podría llegar a cambiar quién eres en Cristo.

Como hablamos en el capítulo 3, tenemos que caminar con Dios, en la luz de Su Palabra, para revelar y reconocer las mentiras y las fortalezas en nuestras vidas. Puede ser que no sepamos cuáles son en este momento, y si no las reconozcas todavía, no te desanimes. Vamos a trabajar juntas para reconocerlas y reemplazarlas con la verdad.

Es una batalla espiritual eliminar las fortalezas. Vamos a ver la descripción de Pablo de la guerra que se nos presenta en 2 Corintios 10:3-5. ¿Cuál es la clave mencionada al final del versículo 5?

Tenemos que capturar cada pensamiento y ser transformadas. Tal como vimos en la parábola de Mateo 12, no podemos quedarnos contentas con reconocer y sacar la mentira. Tenemos que trabajar con esfuerzo para reemplazarla con la verdad.

Juan 8:32 "Y conocerán _____, y la verdad los hará _____."

Juan 17:17 "Santifícalos en _____. Tu _____ es _____."

 ¿Qué pasa cuando reemplazamos una mentira con la verdad? Descríbelo.

 ¿Cuál es la meta de Dios expresada en 1 Timoteo 2:1-7?

¿Cómo obtenemos un conocimiento de la verdad, según 2 Timoteo 2:22-26?

 ¿Qué significa el arrepentimiento? Descríbelo.

El arrepentimiento: la transformación completa

¿Cómo describen los siguientes versículos el arrepentimiento?

Efesios 4:20-24

Romanos 6:1-7

1 Juan 1:5-10

Para que haya transformación de una vida vivida bajo mentiras, a una vida liberada por la verdad, tiene que haber una muerte a la vida pasada. Veamos algunos contrastes entre una vida obstruida por mentiras y una vida que abraza la verdad.

Describe los contrastes que se ven en los versículos abajo:

2 Corintios 4:1-2

Romanos 1:18-32

Los versículos en Romanos 1 son bien fuertes. Es evidente que a Dios no le agrada cuando obstruimos la verdad o cambiamos la verdad de Dios por una mentira (vv. 18 y 25).

 ¿Esa reacción le hace un Dios de ira o un Dios celoso? ¿Cuál es la diferencia?

 Recuerda la meta de Dios expresada en 1 Timoteo 2:1-7. ¿Cómo nos impide una vida obstruida por mentiras alcanzar esa meta?

Al trabajar escribiendo estos capítulos, Satanás me estaba atacando con las mentiras que había adoptado en el pasado. Aquí les comparto una porción de una oración que escribí durante ese tiempo:

Padre, anhelo librarme de las cadenas de estas mentiras. La naturaleza fría de las cadenas me recuerda de mi humanidad y de lo que me gustaría que fuera un mejor tiempo en mi vida. Pero tengo que confiar que Tú tienes un futuro mejor para mí, que Tú anhelas librarme para hacerme sana y completa en Ti.

Si no puedo confiar en esa promesa, confiar en Ti, me quedo sin esperanza, sobrecargada y obstruida por las mentiras. La fe, la esperanza, y el amor. El mayor de los tres es el amor. Deseo poner mi

fe en Ti mientras me llenes con esperanza, un producto de Tu amor.
Dame la fuerza para aferrarme a la verdad, a la esperanza: a
reclamar la vida abundante que sólo se obtiene en Ti y a través del
rechazo a las mentiras y a su control en mi vida.

Ojalá pudiera evitar el dolor de aprender. Ojalá pudiera enseñar
en teoría y no con tanta práctica y ejemplo personal. Ojalá no fuera
parte de Tu respuesta a mi oración, "Heme aquí. ¡Envíame a mí!" pero
Te doy gracias que el dolor no es en vano y que Tú puedes recibir la
gloria por la sanación y la enseñanza que viene a través de todo eso.

Las verdades mayores que debo aceptar son 1) que me amas y 2)
que quieres lo mejor para mí. Si puedo confiar en Ti y en esas
promesas Tuyas, lo demás cae en su lugar y toda otra verdad en la
Biblia se honra.

Siento un peso literal quitado de encima al verbalizarte el peso de
estas mentiras. Entonces, ¿por qué evito pasar por este proceso y venir
a Ti con mi peso y mi dolor?

Perdóname. Escribo con un espíritu de mayor humildad y
reverencia. Hasta he evitado ir a Tu Palabra por el temor de que me
llames a cosas que no quisiera poner en práctica.

He enfrentado tantos cambios en el año pasado que ya no estoy
segura de lo que pueda planificar o con lo que pueda contar. No quie-
ro realizar más cambios o aprender más lecciones, así que evito ir a la
Palabra y ser cortada con la verdad de ella. Al hacerlo, doy cabida a
Satanás y le permito hacer fortalezas en mi vida que me atrapan.

¿Te parece familiar el espíritu de mi oración? Toma un
momento para expresarle a Dios tu propia frustración con las
mentiras o las fortalezas en tu vida, pidiendo que Dios te guíe a la
verdad. (Si no hay suficiente espacio abajo, puedes escribir tu
oración en un cuaderno aparte o en las hojas al final del libro:
Notas, pg. 259)

Impedimentos a la verdad

 Enumera cinco cosas que crees que nos impiden a aceptar la verdad.

Ejercicio: Dado que los impedimentos son como mentiras, vamos a atacar cada uno de los impedimentos o mentiras que enlistaste, con la verdad de la fe, la esperanza, y el amor.

➤ Escribe el impedimento en la siguiente página en la columna *Reconocer* del Cuadro Mentira/Verdad.

➤ Elije cuál concepto de la verdad (fe, esperanza, o amor) mejor descarta la mentira para cada impedimento, en la columna *Reemplazar*.

➤ Encuentra y escribe un versículo que descarta la mentira y afirma la verdad en la columna *Recordar*. (Puedes hacer referencia a los versículos que describen la fe, la esperanza, o el amor en el capítulo 1 o buscar tus propios versículos.)

➤ Puedes agregar más a este Cuadro de Mentira/Verdad cuando te reúnes con tus Hermanas Rosa de Hierro en el contexto del grupo pequeño.

RECONOCER la mentira (en tus propias palabras)	REEMPLAZAR la mentira con la verdad (en tus propias palabras)	RECORDAR la verdad (referencia bíblica)
Impedimento no. 1:	Fe Esperanza Amor	
Impedimento no. 2:	Fe Esperanza Amor	
Impedimento no. 3:	Fe Esperanza Amor	
Impedimento no. 4:	Fe Esperanza Amor	
Impedimento no. 5:	Fe Esperanza Amor	

No somos los únicos a quienes les cuesta creer la verdad. Hubo una mentira que "fue la versión de los sucesos que hasta el día de hoy ha circulado entre los judíos" sobre el cuerpo de Jesús y la resurrección (Mt. 28:11-15).

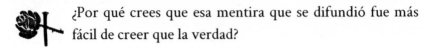 ¿Por qué crees que esa mentira que se difundió fue más fácil de creer que la verdad?

La verdad de la resurrección requiere un cambio. Al declarar la resurrección una mentira, los soldados, los ancianos, y la gente en el tiempo de Jesús dieron a Satanás la última palabra. Temor, orgullo, y otros impedimentos no les permitieron aceptar la verdad. Creer la verdad de la resurrección hubiera requerido una acción y una decisión al respecto. Una verdad de tanta magnitud no se puede ignorar. Y cuando reconocemos la mentira y la reemplazamos con la verdad, ya no podemos vivir según esa mentira. Ellos tuvieron una elección. Y nosotros también podemos decidir entre las dos. ¿Quién tiene la última palabra en tu vida?

La verdad es poderosa. Pero la verdad requiere un cambio.

Las buenas nuevas son: si creo en la verdad de la resurrección, ¡también tengo la esperanza de la resurrección en mi propia vida! Una nueva vida en Cristo (Rom. 6:4-5), con misericordias que me son nuevas cada mañana (Lam. 3:22-24) son promesas con las cuales puedo contar.

Había una pareja. Ella era tímida y reservada. Él era hosco y retraído. Ella creció en un ambiente cristiano. Él no quería nada que ver con Dios ni con la iglesia.

Estaban viviendo juntos y ocasionalmente llegaron a un evento de la iglesia, pero jamás entraron en el local de la iglesia. Y fue en ese contexto que les llegué a conocer.

Cuando llegaron, ella conocía a algunas amigas y hablaba con ellas mientras que él se sentaba en el sofá, ignorando a todos, vestido de puro negro, poniendo una cara negativa, y evitando cualquier conversación.

Sus vidas estaban abrumadas con las mentiras de Satanás sobre su valor personal, sobre la iglesia, sobre los cristianos, y sobre el amor de Dios. Pero con el tiempo, notaron el amor sincero y el cariño genuino de otros cristianos, y por lo tanto, los dos empezaron a ablandar sus cáscaras de auto-protección.

Comencé a buscar oportunidades de conversar más con él y hasta empecé a estudiar la Biblia con ella. Él tenía hambre de una comunidad saludable, y ella tenía hambre de la verdad. Ella ansiaba la vida ofrecida por la fuente de agua viva en la Palabra (Juan 4:14).

Después de mucho estudio y una resistencia a rendirse, ella se bautizó en una piscina afuera en el estado de Luisiana en el mes de enero. Mis dedos se me duermen al recordar esa noche fría, pero se me calienta el corazón, al cerrar los ojos para recordar la sonrisa grandísima en su cara y el gozo que compartimos. Ella había reemplazado las mentiras con la verdad y reclamaba la vida abundante de ese día en adelante.

El arrepentimiento no fue un camino fácil. Fue por eso mismo que le costó tanto el concepto de rendirse y fue la palabra clave cuando tomó el paso de fe en el bautismo. Dios reconoció su compromiso y durante el próximo año, ellos se casaron y él se bautizó también. Hoy día, es una familia bendecida por Dios con tres hijos que no reconocerías si les hubieras llegado a conocer ese primer día que yo los conocí.

Fueron transformados por la verdad y el poder de la Palabra, pero fue un proceso de transformación que tardó años en los pasos de reconocer las mentiras y reemplazarlas con la verdad. Y al recordar la verdad, su fe se fortalece. Al seguir rindiéndose al plan de Dios, Él les llena de la esperanza de una vida mejor. Y el amor que tienen a Dios y el uno para el otro crece, dado que es el amor que Dios diseña, guiado por la verdad.

No sólo habían aprendido la verdad, más también prosiguieron en fe, esperanza, y amor al ponerla en práctica.

Una fundación de verdad, puesta en práctica

Admito que se te va a pegar la canción de niños, pero acompáñame a Mateo 7:24-27. No es sólo una historia para niños. Es una enseñanza poderosa de Jesús con una aplicación para la verdad y la mentira.

¿Cómo se aplica Mateo 7:24-27 a las mentiras y la verdad?

Puedo conocer la verdad, pero si no la pongo en práctica, ¿de qué me sirve?

Cierro este capítulo con esta cita de ánimo al dar a Dios la última palabra de verdad y ponerla en práctica. Es una reflexión clave sobre cómo reemplazar la mentira con la verdad:

No se trata del número de libros que leas ni la variedad de sermones que escuches, ni la cantidad de conversaciones religiosas que tengas, sino que es la frecuencia y la fuerza con que meditas en estas cosas hasta que la verdad de ellos se convierte en tu verdad, y parte de tu ser que asegura tu crecimiento. – F.W. Robertson

Al considerar los Elementos Comunes esta semana, puede que las dos siguientes preguntas te den inspiración adicional: ¿Cuál es una verdad que conozco, pero que rehúso poner en práctica? ¿Cómo sería mi vida si viviera de acuerdo con esa verdad?

Elementos Comunes:

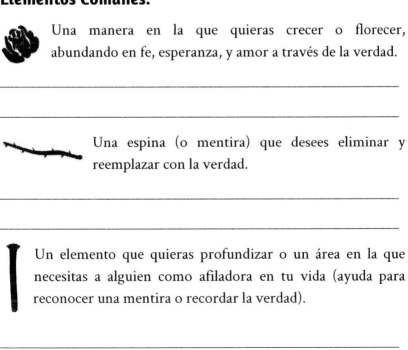

Una manera en la que quieras crecer o florecer, abundando en fe, esperanza, y amor a través de la verdad.

Una espina (o mentira) que desees eliminar y reemplazar con la verdad.

Un elemento que quieras profundizar o un área en la que necesitas a alguien como afiladora en tu vida (ayuda para reconocer una mentira o recordar la verdad).

Un versículo que habla directamente a una mentira mencionada en este capítulo.

_____

_____

CAPÍTULO 5

Recordar la verdad

La verdad: La primera víctima en tiempos de guerra. – Boake Carter

Cuando la ira ciega el ojo, desaparece la verdad. – Proverbio famoso

Crecí viendo el programa Plaza Sésamo[4]. Beto y Enrique, Archibaldo, Lucas, el monstruo come-galletas, y otros personajes formaron parte de mi niñez y mi crianza por su manera sencilla de enseñar y sus canciones pegajosas. Como familia, todavía cantamos unas de las canciones y citamos partecitas de ciertos episodios del programa.

En un episodio en particular, una mamá manda a su hija al supermercado a buscar unas cosas para la familia. La mamá le repite la lista varias veces y se esfuerza ayudándole a la hija para recordar la lista corta. La mamá le quiere ayudar para que, al entrar en el súper y ser distraída con todos los productos, no se le olvide comprar y traer a la casa, "un pan, un pote de leche, y la mantequilla."

---

[4] Children's Television Network

Al final del episodio, después de luchar con recordar la lista con la que le mandó la mamá, la niña dice con mucho gozo, "¡Me acuerdo! ¡Me acuerdo! Un pan, un pote de leche, y la mantequilla."

Hasta el día de hoy, cuando alguien de la familia por fin se acuerda de algo que se nos haya olvidado o pedimos que otro nos busque algo en el supermercado, citamos con gran gozo y con una sonrisita, "¡Me acuerdo! ¡Me acuerdo! Un pan, un pote de leche, y la mantequilla."

El gozo y la sonrisita vienen porque podemos echar broma de lo olvidadizos que somos. Pero también es porque anhelamos aquellos tiempos más sencillo cuando lo único que teníamos que recordar era la lista corta de tres productos a buscar en el súper. Hay tanto metido en nuestras cabezas que se nos hace fácil perder la vista de las verdades espirituales que debemos recordar.

Recuerda dar a Dios la última palabra

Somos olvidadizos por naturaleza. Dios sabe lo olvidadizos que somos y a lo largo del tiempo, nos ha provisto con recuerdos de Su fidelidad, Su soberanía, y Su amor.

Haciendo referencia al Cuadro de Mentira/Verdad, la columna *Recordar* se trata de un versículo específico que transmite la verdad, dando a Dios la última palabra. Por lo tanto, en este capítulo, "Recordar la verdad," vamos a sumergirnos en la Palabra, la mejor manera de recordar la verdad.

Al mirar una cantidad de versículos en este capítulo, recordando el poder de la verdad en la Palabra de Dios, no nos olvidemos que: **La verdad es poderosa porque Dios es verdad.** Jesús mismo dijo, "Yo soy el camino, la verdad, y la vida. Nadie llega al Padre sino por mí" (Jn. 14:6).

Al anhelar recordar la verdad de la Palabra de Dios y darle la última palabra, te invito a recordar esta verdad sencilla: "Fe, esperanza, y amor. Pero la más excelente de ellas es el amor" (1 Cor. 13:13). Dios es amor y Su amor es perfecto (1 Jn. 4:17-19).

Dios recuerda

Dios mismo toma el tiempo de recordar Su pacto y Sus promesas. ¿Qué recuerda Dios en los siguientes versículos?

Génesis 9:15-16

Éxodo 2:24

¿Qué les pide Dios a los israelitas recordar en Éxodo 20:2, antes de darles los Diez Mandamientos?

En Deuteronomio 5, se vuelve a contar los Diez Mandamientos que primero se vieron en Éxodo 20. Y en Deuteronomio 6:1-12, Moisés nos explica el corazón de Dios que le llevó a darnos los mandatos.

¿Cuál es la promesa al final del versículo 2 (Deut. 6)?

 Haz una lista de unas sugerencias sobre cómo mantener lo más importante presente en la mente, los ojos, y los corazones. Comparte al menos tres ejemplos concretos de una aplicación moderna de esa práctica.

¿Cuál es el significado de Deuteronomio 6:12?

¿Cuál de las siguientes ideas te ayudan a recordar algo?

➤ Escribirlo.

➤ Pedir a otro que te recuerde.

➤ Poner un recordatorio en el teléfono.

➤ Ponerlo en tu Facebook.

➤ Otra idea:

Recuerdos positivos y negativos

Recordamos más fácilmente las cosas con las cuales tenemos una conexión emocional. ¿Te acuerdas de la primera vez que te enamoraste? ¿O el olor de las galletas recién hechas por la abuela? ¿La letra de tu canción favorita?

Lamentablemente, el opuesto también pasa. El dolor asociado con una mentira puede opacar toda otra verdad o hacer que otros recuerdos desaparezcan.

Si creemos la mentira suficiente tiempo, volvemos a escribir la historia para que concuerde con nuestra memoria distorsionada. "Dios nunca me ha cuidado." "Dios no me ama." "Nunca hago lo que Dios me pide… Nunca puedo hacer las cosas bien."

Las mentiras con palabras absolutas como "nunca" o "siempre" son como banderas rojas. **Pero las promesas de Dios con las palabras absolutas son verdades en las cuales podemos depender.**

Cuando estamos desanimadas, lo único que recordamos es lo negativo, no lo positivo, ni las promesas. Vamos a charlar más sobre eso en el capítulo 9: Mentiras que creemos cuando estamos desanimadas.

Dios se acuerda de ti

El hecho de que Dios se acuerda de ti fue verdad para Walter, un universitario con el cual yo estaba trabajando en la universidad estatal de Luisiana (LSU). Walter se sintió muy desanimado y olvidado por Dios.

Sirviendo como ministra universitaria, frecuentaba el campus para reunirme con una estudiante y caminaba de regreso por el centro estudiantil en el campus, es decir, pasaba por los lugares más llenos de personas a ver con quienes me encontraba.

Un día de esos, me cité con una estudiante en el campus y luego me encontré con al menos ocho estudiantes actuales o anteriores de nuestro centro estudiantil cristiano de LSU (CSC). Siempre me daba mucho gozo toparme con ellos, para saludarles, animarles, o escuchar lo que les estaba pasando en sus vidas. Una simple sonrisa de una hermana cristiana y amiga les servía como recuerdo que Dios también se sonreía al pensar en ellos.

Esa tarde en específico, también estaba entregando copias de un librito que nuestros estudiantes habían ayudado a escribir: *40 días con Jesús, 40 días en oración.* Me quedaba una copia y por fin iba en camino de regreso al CSC para una cita con otra estudiante.

Saliendo del campus, tomé pausa para responder a un mensaje de texto. Y aunque soy muy buena para mandar mensajes y caminar a la vez, sentí como que el Espíritu me urgía pararme, mandar el mensaje, y luego seguir el camino. Por fin, me paré al lado del camino, y terminé el mensaje. Justo después de mandarlo, miré adelante y vi la espalda de uno de nuestros estudiantes, Walter. Le llamé y se volteó, confirmando su sospecha que sí fuera yo parada allí. Me dijo que la franela del equipo de los Bravos de Atlanta fue su mejor pista.

Nunca se caminaba por esa parte del campus, menos a esa hora del día, y se sorprendió al encontrarme allí. Hablamos un ratito sobre su día, su semana, sus frustraciones… y pude animarlo sobre algunas situaciones complicadas por las cuales estaba pasando. Antes de despedirnos, le regalé la última copia del librito, *40 días con Jesús, 40 días en oración*. Él no le había tenido la oportunidad de pasar por una copia, afirmando otro aspecto de nuestro encuentro providencial.

Los dos seguimos nuestro camino, levantados de ánimo, sabiendo que Dios había provisto una cita divina, no un encuentro por casualidad. Walter pudo recordar la verdad que es amado por Dios y no olvidado. Dios tuvo la última palabra en la vida de Walter ese día, no las mentiras de Satanás que le estaban desanimando.

A veces nos cuesta discernir cómo el Espíritu nos está guiando, pero puede ser tan sencillo como pararte en el camino para mandar un mensaje de texto en vez de seguir apurada. De esa forma, Dios te puede usar para bendecir la vida de otro, dejarle saber que es tan importante para Dios que mande una persona en su camino para darle una palabra animadora, las buenas nuevas del evangelio (como Felipe en Hechos 8), o una sonrisa y un abrazo.

Debemos abrirnos a las citas divinas que Dios pone en nuestro camino y compartir esas historias que dan gloria a Dios. Él trabaja en los detalles más mínimos de nuestras vidas para afirmar Su presencia.

Las historias que dan gloria a Dios nos refrescan la memoria

Las historias que dan gloria a Dios, como las llamo yo, son unas de las maneras por las cuales yo puedo recordar la verdad de las promesas y la provisión de Dios. Son historias de la vida diaria que dan testimonio de la mano de Dios, viva y activa. Esas historias renuevan mi fe, me llenan de esperanza, y me recuerdan del amor de Dios cuando me siento lejos de Él.

Además, necesito esas historias para refrescar mi memoria y dar a Dios la última palabra en mi vida. Mi memoria no es tan buena como antes lo era. Muchos dicen que yo tengo buena memoria, pero sólo es porque anoto todo. Cuando anotamos algo, creamos un registro más permanente para refrescar la memoria cuando nos falla. También nos sirven de mucho estas historias cuando sentimos débil la fe, cuando desaparece nuestra esperanza, o cuando se siente inexistente el amor de Dios.

Las Escrituras sirven como un libro repleto de historias que dan gloria a Dios.

Toma un momento para escribir al menos una de esas historias que ha pasado en tu propia vida. Prepárate para compartir la historia con otras como una invitación a la vida abundante que Dios ofrece a todos. Es importante ver la mano de Dios trabajando en nuestras vidas e invitar a otros a tener la misma experiencia, a dar a Dios la última palabra. (Puedes usar las páginas para Notas al final del libro, pg. 259.)

Dios establece recuerdos para Su pueblo

 Dios siempre nos ha dado formas por las cuales podemos recordar. ¿Qué práctica estableció para que los israelitas recordaran cómo les rescató de la esclavitud en Egipto? Ve Deuteronomio 16:1 y Éxodo 12:24-28. (Para toda la historia puedes leer todo el capítulo 12 de Éxodo.)

¿Cuál fue la celebración de redención establecida en el libro de Ester 9:23-28?

Pasando al Nuevo Testamento, ¿Cuál es el recordatorio que Jesús mismo estableció que debemos hacer en memoria de Él y Su sacrificio (1 Cor. 11:23-26 y Mt. 26:26-30)?

 ¿Cuál es la significancia de recordar el sacrificio de Jesús con frecuencia?

He vivido en muchos lados y he visitado a iglesias en muchas partes del mundo. Una de las cosas más bonitas es que los domingos por la mañana, no importa donde me haya reunido para adorar, no importa si entendiera el idioma, había un entendimiento compartido al tomar del pan y el jugo de la vid juntos.

La Santa Cena es una de las partes del servicio favoritas de mi mamá porque puede cerrar los ojos e imaginar a otros miembros de la familia tomando la Santa Cena en cualquier ciudad o país que nos encontramos ese día domingo.

Es un tiempo apartado para reflexionar y recordar. Más de 70 veces en la Biblia, Dios nos llama a "recordar." Él sabe que somos olvidadizos y que aún si sabemos algo, necesitamos que alguien nos recuerde. Pedro dice en 2 Pedro 1:12-13 que no va a dejar de recordarnos de lo que ya sabemos, porque somos olvidadizos.

El gozo de recordar

Hay un gozo que viene al recordar las promesas de Dios, así como hay cosas que nunca nos cansamos de escuchar aún si ya las sabíamos. ¿Cuántas veces quieres que alguien te recuerde que te ama? ¿Y no es grato también ser recordada de distintas maneras?

 Comparte tres maneras en las cuales Dios personalmente te ha recordado de Su amor o las maneras en las cuales has observado que lo ha hecho en la vida de otro.

Al tomar un tiempo para recordar el amor de Dios, nos llenamos de Su verdad sobre nosotros, no las mentiras con las que Satanás nos ataca, y de esa forma, damos a Dios la última palabra. El libro de Juan menciona de varias formas, la palabra "verdad" (verdad, verdadero, o ciertamente) 55 veces. No sólo habla de lo que es la verdad, también de cómo podemos llegar a conocerla, y recordarnos de ella. Juan se ha convertido en uno de mis libros favoritos por sus referencias frecuentes al amor y la verdad. Vamos a ver algunos versículos en Juan que describen la verdad.

 ¿Cuál es la significancia de Cristo como la personificación de la verdad (Juan 1:14, 17 y 14:6)?

¿Qué nos promete Jesús en Juan 14:16-17, 15:26-27, y 16:13?

 ¿Cuál es la significancia del Espíritu Santo como el espíritu de la verdad?

Dios habla la verdad; Cristo personifica la verdad; el Espíritu nos recuerda de la verdad. Es una promesa de triple significado. ¿Qué significa esa promesa en nuestra vida diaria? Explica cómo esa promesa, llena de verdad, fortalece nuestra fe, nos regala esperanza, y demuestra amor.

Recordar la verdad permite que Dios tenga la última palabra, no nuestros temores, ni las mentiras, ni el dolor, ni la desesperación. La verdad de la Palabra de Dios corta las mentiras como ninguna otra cosa. La Biblia describe la Palabra como una espada que corta en dos ocasiones: Efesios 6:17 y Hebreos 4:12. Y es filo que nunca se desafila.

La batalla espiritual entre las mentiras y la verdad

Veamos toda la sección en Efesios 6, versículos 10 a 18. ¿De qué está hablando Pablo?

 ¿De qué manera nos ayuda en la lucha con Satanás reconocer que es una guerra espiritual? ¿Cómo nos ayuda a recordar la verdad?

 ¿Por qué crees que Pablo comparó la verdad con un cinturón?

¿Cuál parte de la armadura se usa para la ofensiva: diseñado no para defender, sino para atacar?

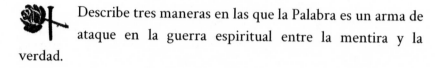

Describe tres maneras en las que la Palabra es un arma de ataque en la guerra espiritual entre la mentira y la verdad.

Según Hebreos 4:12, ¿cómo se describe la Palabra de Dios? ¿Qué puede cortar?

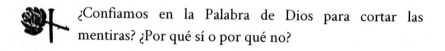

¿Confiamos en la Palabra de Dios para cortar las mentiras? ¿Por qué sí o por qué no?

¿Qué pasa cuando la verdad nos duele o nos hiere y preferimos quedarnos con la mentira conocida, dejando al lado la verdad cortante?

Es verdad... Cuando la verdad corta, hiere, duele... pero es un dolor de sanación, como cuando uno le quita la piel vieja a un paciente quemado para que la nueva piel pueda crecer.

Una de las claves imprescindibles para recordar se aplica a la Palabra de Dios, hablada en nuestras vidas, y también a nuestras palabras, habladas a otros. ¿Cuál es la verdad para recordar expresada en 1 Corintios 13:1-3 y Efesios 4:15?

 ¿Qué diferencia marca esa verdad en cuanto a la manera en la que manejamos la verdad que se nos presenta en la Palabra?

¿Crees, de verdad, que Dios te ha hablado las cosas en Su Palabra de Su gran amor para con nosotras?

¿Cómo se entiende la verdad de otra forma cuando la vemos por el lente del amor?

Dios nos habla la verdad como producto de Su amor inmensurable. Sin embargo, para muchos, les cuesta confiar en la profundidad de ese amor. Y para otros, no lo creen de inmediato, sino que llegan a creerlo después de un tiempo y con la práctica.

Puedes llegar a ser dueña de esa verdad también, al escuchar todas las verdades de Dios con Su voz amorosa.

La verdad se hace más fácil de reconocer mientras más conoces al que la dice. "No sería posible que dijera eso porque lo conozco." Mientras más conocemos a Dios y moramos en Su Palabra, más fácilmente reconocemos la mentira, escuchamos el amor en Su voz, y confiamos en la verdad de Sus promesas.

Tal como vimos con el ejemplo de Eva, Satanás quiere que creamos que las verdades de Dios están para causarnos dolor, perder un tiempo divertido, o impedirnos en la vida que quisiéramos tener. Pero Dios, como nuestro Creador, sabe lo mejor para nosotras y anhela que tengamos una vida de mucha bendición en Él.

Al seguir, en los capítulos que resaltan las mentiras personales en nuestras vidas, debemos **recordar la verdad mayor que Dios es amor (1 Juan 4:7-8), y que todas las verdades que nos recuerda a través de Su Palabra son habladas por amor y Su gran deseo de bendecirnos como Sus hijas.**

El dolor de la verdad o el ardor de las mentiras puede hacer que perdamos la vista del amor de Dios. Creemos las mentiras en vez de confiar en el supremo hablador de verdad. Las mentiras nos roban de esperanza y nos llenan de temor. **Pero la verdad es poderosa y redentora. Puede cortar las mentiras y reemplazar el temor con fe, la duda con esperanza, y la desesperación con amor.**

"Que el Dios de la esperanza los llene de toda alegría y paz a ustedes que creen en él, para que rebosen de esperanza por el poder del Espíritu Santo" (Rom. 15:13).

Una historia más que da gloria a Dios:

Dar la fe en Dios la última palabra

Casi no pude respirar y mis pensamientos dieron vueltas al sumar cuánto había invertido personalmente en el Ministerio Hermana Rosa de Hierro (MHRH) en los primeros seis meses. El último golpe vino cuando autoricé la compra por adelanto de 3.000 copias del primer estudio *Humano Y Santo*, y 2.000 copias del libro en inglés, *Human AND Holy*.

Mis incapacidades se presentaron al dudar la sabiduría de haber tomado esa decisión. No llegué a la conclusión de la compra a solas, sino con los consejos de la junta directiva del MHRH. Todos estuvimos de acuerdo que sería de mayor ahorro, especialmente para reducir el costo de los libros, y así subsidiar el costo de los que se distribuyen a Latinoamérica. Reconocimos las necesidades de las mujeres y las congregaciones por ese tipo de material y ánimo.

Pero al ver un gran monto de mis ahorros desaparecer para la compra de los libros, mi confianza en Dios y Su plan para el ministerio vaciló. Comencé a contar mis bendiciones y seguí orando, pero seguí con el gran peso en mi pecho...

Hice unas cosas más esa tarde para tratar de distraerme y luego fui a la reunión de la iglesia en la noche. Ese miércoles, seguimos conversando sobre el libro de Mateo y "por casualidad" nos encontramos en el capítulo 14, que habla de cuando Jesús dio de comer a los 5.000 con los cinco panes y dos pescados. Alguien mencionó la falta de fe de los discípulos e hizo un comentario sobre cuántos milagros ellos ya habían visto, pero siguieron con dudas.

Yo, sí les entiendo. Soy una de esos discípulos, seguidora de Jesús que ha visto tantos milagros en el pasado, una que ha sido bendecida muchísimas veces con la provisión de Dios, pero que sigue dudando. Mujer de poca fe. Sí. Soy yo. Y sé que no estoy sola en esa lucha.

Al recordar esa noche, el tiempo en la Palabra y con otros cristianos dio a Dios la última palabra y no mis temores ni inseguridades. La última palabra fue una de fe en Él que provee.

Recordemos los ejemplos abundantes de la provisión de Dios, sean las historias en nuestras propias vidas, o las historias como la de multiplicar los panes y los pescados con doce cestas de sobra. Doy gracias a Dios por recordarme, con gracia, de Su provisión ese miércoles por la noche. Mis temores siguen presentes al seguir adelante en el MHRH, pero he podido volver a la historia de los cinco panes y dos pescados para recordar la provisión y la bendición de Dios.

Recuerda: Reconoce las mentiras y reemplazarlas con la verdad.

Recuerda: La Palabra de Dios tiene poder para cortar las mentiras y recordarnos de la verdad.

Recuerda: Siempre da a Dios la última palabra de fe, esperanza, y amor.

Elementos Comunes:

 Una manera en la que quieras crecer o florecer, abundando en fe, esperanza, y amor a través de la verdad.

Una espina (o mentira) que desees eliminar y reemplazar con la verdad.

_____

_____

Un elemento que quieras profundizar o un área en la que necesitas a alguien como afiladora en tu vida (ayuda para reconocer una mentira o recordar la verdad).

_____

_____

Un versículo que habla directamente a una mentira mencionada en este capítulo.

_____

_____

CAPÍTULO 6

Mentira: Estoy sola

El ojo ve sólo lo que la mente puede comprender. – Robertson Davies

La convicción de mi vida ahora reconoce que la soledad no es un fenómeno raro y curioso, único en mi vida y en la de algunas otras personas, sino el hecho central e inevitable de la existencia humana. – Thomas Wolfe

El silencio y la soledad pueden facilitar el tiempo a solas con Dios y una profundidad de las disciplinas espirituales. Sin embargo, sirven también como herramientas poderosas del enemigo.

Momentos quietos con el Padre celestial son especiales, pero demasiado tiempo a solas con mis pensamientos permite que las mentiras surjan, que las inseguridades se conviertan en fortalezas, y las dudas crezcan.

Cuando Satanás me tiene a solas, me siento aislada, abandonada, y llego a creer que nadie me entiende. Me siento sola en mi dolor y que no tengo a nadie para apoyarme. Desde allí, rápidamente llego a preferir estar a solas. No me cuesta escoger la vida solitaria. Es más fácil que ser rechazada o sentirme como la víctima de las decisiones de otros. El rechazo y la soledad son emociones conocidas, ¿por qué luchar contra ellas?

Cuando Dios me tiene a solas, me calienta Su abrazo, me recuerda de Su amor, me llena de Su presencia, y me rodea con Su misericordia. Sé que no estoy sola en mi dolor y que me ha dado la iglesia como una fuente de apoyo. Puedo decidir entre el tiempo a solas o el tiempo con otros porque estoy en paz sobre mi relación con mi Padre. Los sentimientos de rechazo y soledad pueden presentarse, pero me dan la oportunidad de volver a mi Padre para afirmación y paz.

No vayas a solas

Comenzando con este capítulo, luchamos con las mentiras más específicas de Satanás. No intentes hacerlo a solas. Te voy a equipar con las herramientas para reconocer una mentira, reemplazarla con la verdad, y recordar la verdad cuando estés atacada por Satanás, pero no es una batalla a ser peleada a solas. Tal como el león busca aislar su presa para atacar más fácilmente, **la meta de Satanás es de aislarnos y hacernos sentir débiles para su ataque.** Una de las metas principales del Ministerio Hermana Rosa de Hierro y la motivación al preparar este estudio para ser usado en el contexto de un grupo pequeño es para que Satanás no cumpla su meta.

Tus Hermanas Rosa de Hierro son las que te animan, te desafían, y te recuerdan que no estás sola. Sin las oraciones y el ánimo de las Hermanas Rosa de Hierro en mi vida, no estaría donde estoy hoy, creciendo en fe y siendo transformada por el proceso de reconocer la mentira, reemplazarla con la verdad, y recordar la verdad.

No tengo que cerrar los ojos para ver a esas hermanas sentadas conmigo a lo largo del tiempo, verbalizando las verdades y llenando mi espíritu de esperanza. Permíteme seguir con ese mismo patrón: darte la oportunidad de reunirte con otras hermanas en Cristo, Hermanas Rosa de Hierro, para que Uds. puedan hablar las verdades las unas para las otras.

El poder de la fe

Vamos a comenzar con un ejercicio que se realiza en el grupo: Una afirmación que ninguna está sola en su caminata y que **podemos trabajar juntas para fortalecer nuestra fe las unas a las otras.**

Hubo un hombre paralizado que llevaron a Jesús de una forma particular en Marcos 2. Sus cuatro amigos le bajaron en una camilla por el techo. Es una historia poderosa de amistad, apoyo, fe, y otra oportunidad que tomó Jesús para enseñar.

Lee la historia completa en Marcos 2:1-12.

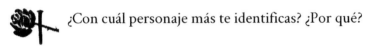 ¿Con cuál personaje más te identificas? ¿Por qué?

¿Fue la fe de quién o quiénes que permitió que Jesús perdonara sus pecados (v. 5)?

¡Sí! Fue la fe de los amigos, no la del paralítico, la cual Jesús reconoció. **Puede que nos sintamos solas en nuestra lucha y con fe insuficiente para salir de la situación, pero es precisamente** en ese momento que las que están caminando con nosotras en Cristo, nos pueden llevar a seguir adelante. A veces, se nos hace más fácil creer en la sanación de otra que en nuestra propia sanación. Entonces, vamos a bajarnos por el techo y levantarnos al Padre. No estamos solas, y no tenemos que depender de nuestra propia fuerza.

Ejercicio:

(Nota: Aún si estás estudiando *¿Quién tiene la última palabra?* a solas, puedes participar en este ejercicio. Si estás estudiando el libro sola, te animo a volver a estudiarlo con un grupo de hermanas en Cristo que pueden servir como hierro afilando a hierro, y que te pueden animar e inspirar a que seas tan bella como rosa a pesar de unas espinas: Hermanas Rosa de Hierro. Y puedes servir de la misma manera para ellas.)

Te animo a que cada una tome un momento para llamar a entre dos y cuatro cristianas, posiblemente las de tu grupo pequeño para que te levanten en oración. Puede que sea una oración para sanación, por fuerza para aceptar la verdad, o por fe para recordar que no estás sola. Comprométete a levantar a ellas en oración también.

Tal como hicieron los amigos del paralítico en Marcos 2, túrnense en poner a cada una en la camilla de oración. Escribe tu nombre en la primera camilla abajo, y los nombres de quienes están orando por ti en los cuatro mangos de la camilla. Confía en su fe para la sanación al levantarte al Padre.

Haz lo mismo para las otras por quienes estás orando. Pon su nombre en la parte de abajo de la camilla y tu nombre, junto con los nombres de las otras hermanas que están orando en los cuatro mangos de las demás camillas. Pasa un tiempo en oración por cada una. Es un honor poder llevar estas peticiones delante de nuestro Padre celestial quien nos quiere sanar, librar de las mentiras, y recordarnos que no estamos solas.

"Por eso, confiésense unos a otros sus pecados, y oren unos por otros, para que sean sanados. La oración del justo es poderosa y eficaz" (Sant. 5:16).

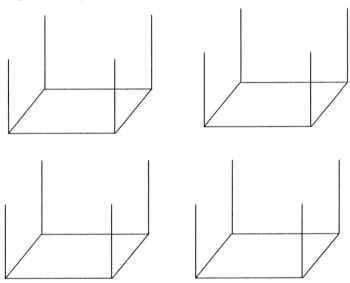

¡No estás sola! Cuando Satanás logra aislarnos, una de las primeras mentiras que creemos es que estamos solas en esa lucha. Aunque Salomón nos dice que "no hay nada nuevo bajo los cielos," (Ecc. 1:9), Satanás nos opaca la memoria y hace que los pensamientos sean nublados cuando tratamos de recordar que no estamos solas. Ni somos las únicas que enfrentan esa lucha.

Permíteme compartir una historia que lo demuestra.

Dos hermanas, una mentira

Una noche, en un estudio bíblico, compartí una lección con las hermanas hispanas en una congregación de Houston, Texas. La clase fue sobre las mentiras y la verdad, e incluí porciones de este libro, por cierto.

La clase fue bien recibida y al final, les invité a juntarse en pareja con la que estuvo al lado para compartir una mentira de Satanás con la que lucha personalmente. Además, tuvieron que buscar un versículo en la Biblia, una verdad que cortó esa mentira, tal como estamos haciendo en este libro. Fue bello verlas hablar y hojear sus Biblias.

Cuando ya estaban por terminar, dos mujeres me llamaron para acercarme y escucharles. Les urgía compartir conmigo que las dos luchaban con la misma mentira: que no tienen suficiente tiempo para leer sus Biblias. Pudieron animarse mutuamente en la verdad y la promesa de las Escrituras. Intercambiaron los números de teléfono para poder animarse durante la semana. Antes de que me fuera, me leyeron el versículo que les dio tanta esperanza y gozo, **la verdad que cortó la mentira de Satanás y dio a Dios la última palabra en sus vidas:**

> *Sólo te pido que tengas mucho valor y firmeza para obedecer toda la ley que mi siervo Moisés te mandó. No te apartes de ella para nada; sólo así tendrás éxito dondequiera que vayas. Recita siempre el libro de la ley y medita en él de día y de noche; cumple con cuidado todo lo que en él está escrito. Así prosperarás y tendrás éxito.* (Jos. 1:7-8)

Dios dio a Josué un gran recordatorio por tercera vez en el primer capítulo de Josué, "Sé fuerte y valiente." Que Dios nos siga bendiciendo con estos recordatorios alentadores, tal como hizo para las dos mujeres esa noche. Y que siga usando al Ministerio

Hermana Rosa de Hierro para equipar e inspirar a mujeres en sus relaciones con Dios y con otras mujeres.

La mentira que estoy sola

 ¿Cuál es una lucha en la que sientes sola?

 Nombra un personaje bíblico que comparte una lucha similar o que te ofrece ánimo en la lucha que enfrentas.

"Alégrense con los que están alegres; lloren con los que lloran" (Rom. 12:15). Anhelamos compartir en una comunidad durante los tiempos difíciles y también en los tiempos de bendición.

 ¿Cuáles son tres bendiciones de la semana pasada sobre las cuales te puedes regocijar con tus Hermanas Rosa de Hierro?

Describe las promesas en cada uno de los siguientes versículos, como invalidan la mentira, "Estoy sola."

Juan 14:16-21

1 Juan 4:7-18

Mateo 28:16-20

1 Corintios 12:12-27

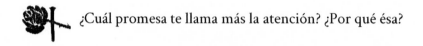 ¿Cuál promesa te llama más la atención? ¿Por qué ésa?

Eres amada. Estás en las oraciones de otros. Y no estás sola.

Afirmado por estos versículos y reflejado en el ejercicio inspirado por Marcos 2, quiero que comprendas totalmente estas tres cosas: Eres amada. Estás en las oraciones de otros. Y no estás sola.

¿Me escuchaste? Eres amada. Estás en las oraciones de otros. Y no estás sola. No estoy hablando de la hermana fulana de tal que crees que merece amor y oraciones. Estoy hablando de ti.

Una de las razones por las cuales estudiamos estas lecciones y combatimos las mentiras en el contexto de un grupo pequeño es para que tengamos la oportunidad de afirmar que no estamos solas en las luchas. Hay otras mujeres con las que podemos orar y ser animadas. Pueden ser Hermanas Rosa de Hierro las unas para las otras, hermanas en Cristo que se han comprometido a orar por ti, animarte, y recordarte la verdad cuando las mentiras susurradas por Satanás se conviertan en gritos en nuestra mente.

Cuando nos sentimos solas, se intensifican las mentiras. Ahora mismo, al tratar de rechazar la mentira de que estás sola, puede que Satanás te ataque con más mentiras y desacredite las verdades que estamos afirmando. ¡No le des la última palabra!

Y aunque todas pasamos por un tiempo cuando nos sentimos solas, es mi oración que te consuelen las verdades en este capítulo para saber que nunca estás sola.

La historia de Lacey

Lacey necesitaba recordar la verdad de que no estaba sola. Poco después de cumplir dieciséis años de edad, pasó por muchas citas médicas, rayos-x, conversaciones susurradas, miradas preocupantes, y consultas. Le mandaron al Hospital St. Jude's en Memphis, Tennessee, EE.UU., dado que es un hospital que se especializa en el cáncer de niños. Habían encontrado un tumor osteosarcoma saliendo del hueso de su pierna izquierda como cuatro centímetros debajo de la rótula.

Lacey y su mamá no tenían una relación cercana antes de eso, pero cuando tuvo que dejar la escuela secundaria en su penúltimo año para mudarse a otro estado, luchando contra un cáncer agresivo, llegó a apreciar a la mamá más. La mamá daba mucho ánimo a su hija y siempre buscaba su bebida preferida durante la quimioterapia y las varias operaciones. Le tuvieron que quitar parte del hueso de la pierna y el músculo de la pantorrilla.

La mamá de Lacey le sirvió como una roca, pero Lacey se sintió sola. Antes de irse para el hospital, sentía que no fue la más popular del grupo de jóvenes, y estaba insegura de cuántos en su congregación natal le conocían. Ahora, a tres estados de su hogar, se sintió sola.

Pero recibió cantidades de mensajes de texto, tarjetas, y notas que le afirmaron lo amada que era, que estaba siempre en las oraciones de ellos, y que no estaba sola. Por fin comenzó a creer la verdad. Hasta el sol de hoy, ella guarda la almohada de ánimo que docenas de personas de la congregación firmaron para ella. La almohada de ánimo sirve como recordatorio de las oraciones constantes y el apoyo de su familia cristiana.

Cuando le pregunté a Lacey si yo podía compartir su historia y la manera en la que Dios y la iglesia le ayudaron a combatir la mentira de que estaba sola, me respondió, "¡ME ENCANTARÍA QUE UTILICES MI HISTORIA! Creo que pasé por lo que pasé por un propósito, y fue para que otros no se sintieran sin esperanza, o para acompañar a otros que pasan por lo mismo. Doy testimonio de que se puede vencer el cáncer. Y si no comparto mi historia con otros, aunque a veces cuesta y me duele, todo lo que pasé hubiera sido en vano."

Ella siguió, "Santiago 5:11 es mi versículo favorito porque Job es mi historia favorita de la Biblia. Satanás trató de decirme que porque estaba pasando por un tiempo difícil, lejos de casa, no iba a sobrevivir porque estaba sola. **Pero Dios me mostró que tenía una familia cristiana que me apoyaba más de lo que imaginaba porque le importaba más a Dios de lo que jamás me hubiera imaginado."** ¡Amén! Aplaudo a Lacey por compartir su historia y por dar a Dios la última palabra.

¿Has pasado por un tiempo en que te diste cuenta que le importas más a Dios que lo que primeramente pensabas?

Describe cómo Él te reveló Su amor y te recordó que no estabas sola. (No se te olvide incluir un versículo bíblico que te puede recordar de esa verdad nuevamente en el futuro.)

No estamos solas en la iglesia

Dios nos ha dado la bendición de la iglesia para unirnos en tiempos de gozo y en tiempos de dificultad, a ser un cuerpo y una familia. Puede que te sientas como la única quebrantada, pero Jesús afirma que no son los sanos que necesitan un médico, sino los enfermos (Mc. 2:17).

Puede que no tengas el mejor ejemplo de apoyo en tu familia, pero Dios nos ha provisto una oportunidad para comenzar de nuevo con la familia cristiana. Si tus heridas vienen de la familia en Cristo, te quiero animar con la verdad que tus experiencias pasadas no significan que estás destinada o condenada a estar sola siempre. Vamos a explorar ese concepto más en el capítulo 10, "Mentira: Dios me está castigando por mi pasado."

Con más de cincuenta versículos en el Nuevo Testamento que describen las relaciones "los unos a los otros" en la iglesia, vale la pena investigar más profundamente lo que significan la iglesia y las relaciones en ella. Por lo tanto, vamos a explorar ese tema más en el capítulo 8, "Mentira: Lo tengo que hacer yo sola."

Pero en el contexto de la esta mentira, "Estoy sola," debemos recordar que no podemos llegar a conocer la bendición del cuerpo si no estamos en relación con él ni en comunión con él. Espero que este estudio bíblico interactivo con tus Hermanas Rosa de Hierro sirva como una experiencia nueva, sin importar la historia que tienes con tu propia familia o con la iglesia.

Dios es nuestro gran Consolador, y cuando nos sentimos decepcionadas y solas, podemos recordar que Su amor nunca nos falla, nunca nos abandona, y nunca se acaba. El amor de Dios y Su compromiso con nosotras va mucho más allá de lo que el mundo ofrece. Vamos a dar Su amor la última palabra.

La verdad es que, como Lacey, y como las dos hermanas que lucharon con la misma mentira, no estamos solas. Podemos recordar la verdad de que cada una somos una hija amada del Padre celestial que anhela bendecirnos con la comunidad, la comunión, y la relación que sólo se encuentra en Él.

Las expectativos incumplidas de las relaciones

Como mujer soltera, me cuesta recordar esas verdades cuando el mundo me abruma con lo que para él significa no estar sola: Enamorarse, casarse, tener 2,5 hijos, una casa bien bonita, y una relación íntima con la suegra. ¿Me acompañas en la ridiculez de esa meta? ¿O qué tal la propaganda que dice que no estar sola significa estar rodeada de amigos que siempre están saliendo para divertirse? ¿Hasta el mensaje religioso de estar casada significa que jamás vas a sentirte sola?

Creo que Génesis 2:18, "No es bueno que el hombre esté solo," no hace referencia solamente al matrimonio. Estamos diseñados a estar en relación. Y cuando se trata de la mentira de que estoy sola, Satanás aprovecha las expectativas incumplidas de las relaciones.

¿Con cuál de las tres mentiras más te identificas como ataque de Satanás en tu propia vida?

➢ Ser soltera o soltera de nuevo significa siempre estar sola.
➢ Estar casada significa nunca estar sola.
➢ Estar casada significa siempre estar sola.

Fíjate que las tres son mentiras. Si no encontramos el cumplimiento en Dios, *siempre* nos sentiremos solas, sin importar nuestro estado civil o el estatus de nuestras relaciones. Personalmente hablando, ésta es una de las maneras en las cuales Satanás me ataca más fuertemente que en otras áreas. Y evito estos pensamientos aún más cuando estoy sola porque afirman las mentiras de que no soy amada, que soy rechazada, y destinada a siempre estar sola.

En mi mente, sé que no es verdad, pero mi corazón a veces me duele con el anhelo de conocer el amor como otras lo conocen, en el contexto de un matrimonio cristiano. Sé que no sería la solución a la soledad, ni que cumpliría con mis anhelos ni deseos, pero fue cruel ver la posibilidad del matrimonio y verla sacado de mis manos (sufrí una rotura de compromiso con mi prometido en el 2012).

Las mentiras de Satanás me abruman, haciendo que no quiera estar sola con mis pensamientos ni hacer a Dios las preguntas que vienen con ellos. A veces, no sé si quiero escuchar que la respuesta a mis oraciones es que voy a seguir soltera el resto de mi vida, casada con Cristo y su ministerio. Y otros días, es lo único que deseo.

El temor me inhibe la verdad y opaca mi fe.

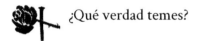 ¿Qué verdad temes?

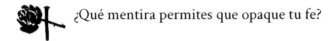 ¿Qué mentira permites que opaque tu fe?

Mientras estaba trabajando en los capítulos de este libro, me atormentaron los sueños, hasta pesadillas, y una falta de sueño, al tratar de mantenerme en la verdad. Satanás estaba luchando para que no soltara la mentira y perdiera el deseo de la vida abundante que Dios provee.

Estaba viviendo en temor, no fe, lo cual prohibía que Dios tuviera la última palabra.

La mentira, con su decepción, me dio consuelo falso porque el rechazo del amor significó que al menos había probado lo que no se iba a dar. Me aferré al recuerdo, pero me mantenía en el pasado.

Padre, ojalá no siguiera luchando con las mismas mentiras, las mismas espinas en mi carne. Son mi recordatorio constante de mi necesidad de Ti, y es una de las razones por las cuales temo que nunca me darás un esposo con quien pueda compartir mi vida.

Cuando me acercaba al matrimonio y veía al hombre que iba a proveer por mí y por nuestros futuros hijos, temí cómo iba a ser posible con un salario. Pero ahora, irónicamente, no tengo salario y estoy dependiendo de Ti en todo sentido para Tu provisión.

Estas lecciones me han costado aceptar, y desprecio el dolor con el que se han aprendido. Ojalá hubiera otra manera, pero cuando vuelvo a aceptar las mentiras, la verdad cortante me duele otra vez.

Al leer mis sentimientos de frustración y soledad, sé que a muchas de Uds. les gustaría proclamar la verdad con palabras de ánimo en mi vida, recordarme de la fidelidad de Dios, y desafiarme a seguir adelante con fe, permitiendo así que Dios me utilice. Y por eso, te doy gracias.

No he pasado por el proceso de luchar contra estas mentiras a solas. He tenido la tremenda bendición del apoyo invaluable de los que me rodean. Han levantado la bandera de la verdad cuando me siento golpeada por las mentiras.

Su apoyo ha sido parte del gran testimonio a la verdad que no estoy sola, ni en relación, ni en mi lucha con ésta y otras mentiras. Con su ayuda, pude reconocer la mentira de que estoy sola. Reemplacé esa mentira con la verdad que tengo un Padre amoroso que ha prometido nunca dejarme ni abandonarme (Jos. 1:5). Además, estoy rodeada de una familia que me ama, y una familia en Cristo que me levanta en oración y me anima con recordatorios de esa verdad.

He puesto mi propia transformación de mentira a verdad en el cuadro abajo. Te pido que selecciones al menos tres mentiras para reemplazar con la verdad. Luego, encuentra un versículo bíblico para recordarla.

➤ Pregúntate, ¿Con cuál mentira sobre la soledad más me identifico?
➤ Escoge tres de las mentiras enlistadas, o escribe una en tus propias palabras en las porciones del cuadro abajo, que están en blanco.
➤ Para las tres mentiras seleccionadas, llena el resto del Cuadro: *Reemplazar la mentira con la verdad* (en tus propias palabras) y *Recuerda la verdad* (referencia bíblica).
➤ Si te cuesta identificar algunos versículos con las verdades a recordar, puedes hacer referencia a los versículos antes mencionados en este capítulo o los capítulos anteriores.

Con respeto a la promesa de que no estamos solas, aquí les agrego más versículos de promesas en las cuales podemos poner nuestra fe: Salmo 23; Isaías 41:10 y 13; Mateo 1:22-23.

RECONOCER la mentira (en tus propias palabras)	REEMPLAZAR la mentira con la verdad (en tus propias palabras)	RECORDAR la verdad (referencia bíblica)
1. Siempre estaré sola porque nunca me voy a casar.	El matrimonio no es la única manera de definir una relación. Dios prometió nunca dejarme ni abandonarme y me bendice con una familia de sangre y en Cristo que me ama y me apoya.	"No te dejaré ni te abandonaré." **Jos. 1:5** "La cuerda de tres dobleces no se rompe fácilmente." **Ecl. 4:12**
2. Estoy sola en mi dolor.		
3. No tengo el apoyo de nadie.		
4. Dios me ha abandonado.		
5. Quiero estar sola. Lo he escogido. Es más fácil que ser rechazada.		

RECONOCER	REEMPLAZAR	RECORDAR
6. No necesito a nadie. Estoy mejor sola.		
7. Soy la única que lucha contra _____ pecado.		
8. Nadie me entiende.		
9. Soy la única tratando de hacer el bien.		
10. Soy la única cristiana en mi familia, clase de estudios, trabajo, etc.		

Pasa un tiempo a solas, en comunión con el Padre, permitiendo que Él te recuerde de las promesas encontradas en la verdad de la Palabra. **Da a Dios la última palabra en tu vida, especialmente al reemplazar la mentira, "Estoy sola."**

 Cuando te reúnes con tus Hermanas Rosa de Hierro, toma un momento para compartir las diferentes maneras en las cuales Satanás ataca. Pueden darse cuenta de que a pesar de las diferencias de los ataques específicos, estamos luchando contra el mismo enemigo, y que Dios está de nuestro lado. Pasen un tiempo en oración sobre el Cuadro de Mentira/Verdad, recordándose la verdad. La oración es un paso vital en nuestra lucha espiritual, y nos recuerda de la presencia de Dios con nosotras.

Elementos Comunes:

 Una manera en la que quieras crecer o florecer, abundando en fe, esperanza, y amor a través de la verdad.

_____

_____

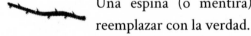 Una espina (o mentira) que desees eliminar y reemplazar con la verdad.

_____

_____

Un elemento que quieras profundizar o un área en la que necesitas a alguien como afiladora en tu vida (ayuda para reconocer una mentira o recordar la verdad).

_____

_____

Un versículo que habla directamente a una mentira mencionada en este capítulo.

_____

_____

CAPÍTULO 7

Mentira: La felicidad es lo máximo

El sentirse mejor se ha hecho más importante que el encontrar a Dios. – Larry Crabb

En nuestra era, como en toda era, la gente busca la felicidad, sin darse cuenta que lo que están buscando de verdad, es la santidad. – Jerry L. Walls

Nunca he conocido a nadie que al tratar de satisfacer al Señor no termina satisfecho él mismo. – Watchman Nee

Hay tres tipos de persona: los que han buscado a Dios y le encuentran, ellos son razonables y felices; los que buscan a Dios y no lo han encontrado todavía, ellos son razonables e infelices; y finalmente los que ni buscan a Dios ni lo encuentran, y ellos son irrazonables e infelices. – Blaise Pascal

"Y vivieron felices para siempre..." ¿Pero cuándo termina la vida real como la de un cuento de hadas?

Crecemos escuchando historias poco realistas sobre princesas como Blanca Nieves, Jasmin, y Ariel, la sirenita. Nuestros sueños son afectados y nuestras expectativas poco realistas, al comenzar la vida como adultas, buscando nuestra propia versión de "felices para siempre."

Comparamos los cuentos de hadas clásicos con nuestras propias historias. Por supuesto que no llegan a la talla de nuestro ideal de la felicidad. La Bella Durmiente se despierta con el beso del Príncipe Azul, no un beso dado a medias con una cara sin afeitar y mal aliento. Cenicienta tiene todo un equipo de belleza que transforma su cabello loco en un cabello bien estilizado, de ropa con vómitos de bebé a un vestido de marca, y de zapatos tenis muy gastados, a zapatillas de cristal. Y eso es sin mencionar al hada madrina que transforma su minivan chocada a un carruaje halado por caballos blancos. La bestia con la cual nos casamos no se ha transformado en el príncipe guapo que pensamos que cambiaría tal como le pasó a Bella.

¿Y quién dijo que "felices para siempre" tiene que incluir a un varón? En la película *Frozen* de Disney[5] (alerta de arruinarte la película), me encantó que "el acto de amor verdadero" que salva a Ana y a Elsa al final de la película no fue el beso del hombre, sino el amor sacrificial la una por la otra.

"Nadie tiene amor más grande que el dar la vida por sus amigos" (Jn. 15:13).

Entonces, ¿será que Dios siempre sabía de lo que estaba hablando? El amor verdadero y la felicidad como Dios los ha diseñado no cuadran con las versiones distorsionadas de Hollywood, que se ven en las películas y las series de televisión. Ni se comparan con las mentiras que Satanás promueve por la satisfacción temporal.

---

[5] Walt Disney Animation Studios, 2013.

Satanás ha usado estas estrategias desde el principio del tiempo: la búsqueda de la felicidad como algo más importante que cualquier otra cosa. Hoy, puede tomar la forma de satisfacción temporal, pero no somos el único grupo social que ha luchado contra eso.

La satisfacción temporal versus las bendiciones eternas

Los israelitas fueron muy impacientes cuando Moisés subió al monte para recibir los Diez Mandamientos. Optaron por la satisfacción temporal del becerro de oro en la base del monte Sinaí en vez de las bendiciones eternas prometidas por Dios a los que confían en Él y le obedecen.

Israel buscó otros dioses y otros deseos, pero ningún ídolo falso llega a la talla de Jehová Dios.

Cualquier cosa que no es Dios no nos va a dar la felicidad verdadera.

¿Qué dice Zacarías 10:2 sobre la naturaleza de los ídolos?

Otro nombre para un ídolo es un dios falso. Timothy Keller define un dios falso como

... algo tan central y esencial en tu vida que, al perderlo, tu vida no se siente que vale la pena vivirla. Un ídolo tiene un lugar de tanto control en tu corazón que puedes gastar toda tu pasión y energía, y tus recursos emocionales y económicos, sin pensarlo dos veces.[6]

---

[6] Keller, Timothy. *Counterfeit Gods* (London: Penguin, 2009), xviii. [*Dioses falsos.*]

Los ídolos o dioses falsos vienen de toda forma y tamaño, sean ídolos personales, físicos, emocionales, intelectuales, culturales... Nos dan un sentido falso de seguridad y felicidad. Y pueden ser cualquier cosa que valoramos más que Dios mismo, hasta las cosas buenas, bendiciones de Dios que toman el lugar de Dios, como la prioridad número uno en nuestras vidas.

 ¿Cómo son los ídolos de hoy día? Enlista cinco ídolos comunes y pon una estrella al lado del que más utilizas para buscar la felicidad.

Pon el ídolo en el que pusiste la estrella, en los blancos de la primera fila (no. 1) del Cuadro de Mentira/Verdad abajo. Y para el número 2, reemplaza la mentira ya anotada con una verdad en tus propias palabras, y un versículo para recordar la verdad.

RECONOCER la mentira (en tus propias palabras)	REEMPLAZAR la mentira con la verdad (en tus propias palabras)	RECORDAR la verdad (referencia bíblica)
1. _____ me hace feliz.	Puede que _____ me da una satisfacción temporal, pero nunca me va a satisfacer como puede Dios.	"Así que mi Dios les proveerá de todo lo que necesiten, conforme a las gloriosas riquezas que tiene en Cristo Jesús." Fil. 4:19

RECONOCER	REEMPLAZAR	RECORDAR
2. Sé lo que me hace feliz. / Sé lo que es mejor para mi felicidad.		

Una verdad que compartió una amiga, Hermana Rosa de Hierro, para *Reemplazar* fue: **El camino más rápido a la felicidad es estar de acuerdo con Dios.** ¿Estás de acuerdo? ¿Por qué sí o por qué no?

Cuando buscamos la felicidad como nuestra meta principal, perdemos de vista la fuente del gozo, la felicidad, y el cumplimiento. La felicidad puede llegar a ser un beneficio secundario de la vida vivida con Dios, pero no nos garantiza una vida feliz en todo momento.

Busca a Dios y encuentras la felicidad (Mt. 6:33). Busca la felicidad y encuentras un vacío.

La felicidad y Dios

¿Qué detalles aprendemos sobre la felicidad según los siguientes versículos?

Eclesiastés 2:24-26

Mateo 25:21, 23

Salmo 68:3

Santiago 5:13

¿Eso significa que a Dios le importa nuestra felicidad?

Vamos a verlo desde otra perspectiva... **Si Dios nos llama a ser transformadas en Su imagen (2 Cor. 3:18), vamos a considerar las características del Señor que debemos emular. ¿Qué hace a Dios feliz o triste?**

¿Está Dios siempre feliz? ¡Claro que no! Vamos a identificar unas cosas que hace a Dios feliz y otras que le entristecen.

 Enlista tres fuentes de gozo para nuestro Padre celestial. No se te olvide incluir el versículo o la historia bíblica que afirma su placer.

 Enlista tres cosas que entristecen a Dios o que le enfurecen. Necesitamos la referencia bíblica aquí también.

Toma un momento para reflexionar sobre la gravedad del pecado, la desobediencia, y otros aspectos de la fealdad del mundo que nunca jamás nos harán felices, ni nos deben hacer felices. Entonces, ¿Es la felicidad la meta principal?

¿A Dios le importa mi felicidad?

La mentira del mártir es, "Dios jamás quiso que yo fuera feliz."

La mentira del egoísta es, "Dios quiere que yo sea feliz a toda costa."

 Para ti personalmente, ¿Cuál es la mentira con la cual más luchas: Dios quiere que yo sea feliz, o Dios no quiere que yo sea feliz?

 Entonces, ¿A Dios le importa mi felicidad? ¿O qué es lo que más le importa, o en qué quiere Él siempre tener la última palabra?

La felicidad versus la santidad y la obediencia

A Dios le importa más nuestra santidad que nuestra felicidad.

Por ejemplo, a ningún niño le gusta cuando le castigan. Una niña de dos años está probando los límites, para sentirse segura en el mundo que está conociendo y explorando.

Lee Hebreos 12:4-11. Según los versículos 10 y 11, ¿cuál es el fruto de la disciplina de Dios? (Pista: ¡No es nuestra felicidad!)

La felicidad nunca debe ser mayor que nuestra santidad, justicia, ni obediencia.

Según Juan 17:17, ¿Cuál es una de las cosas que Dios usa para lograr nuestra santificación?

Lee 1 Samuel 15:18-23. ¿Qué desea Dios sobre todas las cosas?

A Dios le importa más nuestra obediencia que nuestra felicidad.

Si amamos a Dios, obedeceremos Sus mandatos (Jn. 14:23). Y si obedecemos Sus mandatos, moramos en Su amor (1 Jn. 3:24). ¡No hay mejor manera de conseguir la seguridad y la felicidad, profundas y duraderas, que en comunión con Dios!

Pero cuidado, porque tal como nuestro amor hacia otros puede apagarse con el tiempo, nuestro amor por Dios puede vacilar también. El amor es una decisión. La obediencia es una decisión. Puede ser que no nos sintamos con ganas de obedecer a Dios, pero no importa. Porque vamos a obedecer una cosa o la otra: o al pecado o a Dios (Rom. 6:16-22). Podemos elegir: Amar a Dios o amar al pecado. Escuchar las mentiras o la verdad. Dar a Dios la última palabra o dejar que el padre de la mentira distorsione el asunto.

Para serles honesta, a veces, no me siento con ganas. En esos momentos, recuerdo que no se trata de cómo me siento. Puedo llegar a pensar que "Dios quiere que yo sea feliz. Quiere que le obedezca cuando tengo ganas de obedecerle de corazón." Pero es otra mentira atractiva de Satanás. Si Satanás puede lograr que pensemos que nuestros sentimientos o las emociones importan más que nuestra obediencia, estamos atrapados en una mentira peligrosa.

Recuerda: Mi obediencia importa más que mi felicidad.

Obediencia por fe, y los sentimientos seguirán

(Escrito más o menos en el tercer aniversario de un tiempo muy infeliz de mi vida.)

Siempre social y extrovertida, mi aspecto introvertido ha dominado en los últimos años. Puede que no haya sido muy obvio o evidente para quienes no me conocen bien.

Antes del trauma emocional de la rotura de mi relación de noviazgo, por mi prometido, nunca había experimentado la ansiedad social ni un ataque de pánico. Sin embargo, en los meses y años después de ese suceso, me sentí como una extensión de mí misma o alguien que era una sombra de quien verdaderamente soy.

No era una máscara. Se podría decir que estaba fingiendo para poder seguir adelante… porque sabía que la versión verdadera de mí misma seguía allí, esperando despertarse y volver a la tierra de los vivos.

La depresión severa te puede llevar a ese extremo. Y es un proceso por el cual uno tiene que pasar. No es que uno sale de allí, porque es una lucha continua para quienes sufren de depresión. (Vamos a explorar ese tema más en el capítulo 9: "Las mentiras que creemos cuando estamos desanimadas.")

Los últimos tres años han sido muy estresantes e intensamente emocionales por razones y en maneras que no valen la pena explicar. No voy a detallarlas porque mi enfoque actual es de agradecimiento.

Conversación abierta, honesta, y auténtica ha caracterizado mi interacción con muchos sobre los desafíos que he enfrentado. Y por lo tanto, me emociona poder decirte que en los días recientes, me complace poder ver mi cabeza salir de la neblina que me ha rodeado.

Esta noche fue la primera vez en mucho tiempo que he querido participar en la reunión de la iglesia fuera del domingo por la mañana. Canté con convicción, oré con pasión, y saludé a otros con interés genuino.

¿Eso significa que lo que he hecho en los últimos tres años ha sido insincero? ¿Lo hacía para gloriarme o cumpliendo con las acciones por hacerlas? De ninguna manera.

Todo fue hecho por fe. Fe en Dios para redimirme y restaurar mi primer amor. Fe en Dios para seguir guiando mis pasos y aclarar mi llamado. Fe en otros de que fueran pacientes conmigo durante el proceso. Fe a pesar de las lágrimas, pesadillas, ansiedad, depresión, dolor, frustración, y estrés…

Y ahora, si esta emoción me dura sólo un día más o una semana, doy gracias a Dios de que, por fe, he llegado a un momento en que quería ir a la iglesia esta noche – no para cumplir con mis responsabilidades, sino sabiendo que al llegar, encontraría gozo. Esta noche, por fin, quería ir a la iglesia para ser la iglesia y estar con la iglesia, adorar con otros cristianos y celebrar nuestra fe, para hacer y ser lo que define la iglesia.

Porque la fe no se basa en una emoción. Se basa en la obediencia y la confianza en quien nos puede devolver a la versión verdadera de nosotros mismos y transformarnos más y más en la imagen de Su Hijo.

Entonces, te invito a regocijarte conmigo en el poder de la fe. Te animo a perseverar en fe y esperanza. **Y le pido a Dios que te fortalezca para seguir obedeciendo por fe,** aun si pasas un día, una semana, un mes, o unos años sin "sentirlo."

El gozo versus la felicidad

En esos momentos difíciles o desanimados, me cuesta encontrar la felicidad. Pero, gracias a Dios el gozo y la felicidad no son lo mismo. El gozo del Señor fue mi fuerza en tiempos débiles (Neh. 8:10).

La felicidad depende de nuestras circunstancias. Además, la felicidad sale de nuestras búsquedas egoístas.

El gozo es una bendición de Dios, un fruto del Espíritu Santo (Gál. 5:22). Podemos tener gozo en las pruebas (Sant. 1:3), y se puede transformar nuestro dolor en gozo (Est. 9:22; Sal. 30:11, 126:5-6; Jer. 31:13).

¿Por qué o en qué maneras nos enredamos tanto en nuestra búsqueda de felicidad en vez de confiar en Dios para el gozo verdadero?

La búsqueda de la felicidad

Salomón dice que no hay nada nuevo bajo los cielos (Ecl. 1:9). Él que recibió tanta sabiduría de Dios, comparte de su sabiduría sobre la búsqueda de la felicidad, en el libro de Eclesiastés.

¿Qué dice Eclesiastés 2:10-11 sobre los placeres que buscó?

A lo largo de su libro de refranes sabios, Salomón concluye que todo es en vano. Todo es vanidad o absurdo, es correr tras el viento. Todo excepto...

Lee Eclesiastés 12:13-14. ¿Cómo nos instruye a dar la última palabra a Dios?

Confiar y obedecer

El coro del himno clásico dice, "Obedecer, y confiar en Jesús. Es la senda marcada para andar en la luz." En otra versión de la canción dice que es la única manera de hallar la felicidad.

"Porque mis pensamientos no son los de ustedes, ni sus caminos son los míos..." (Is. 55:8-9). Tenemos que confiar que nuestro Creador sabe como diseñó Su creación: nuestros anhelos y deseos, lo que nos cumple y nos trae gozo verdadero. "Ustedes saldrán con alegría y serán guiados en paz" (Is. 55:12).

Porque la sabiduría de Dios es más alta que la de los hombres (Sant. 3:13-18).

Pero nos cuesta dar la última palabra a Dios cuando se trata de nuestra felicidad. **La obediencia es más difícil cuando nos llama a hacer algo que tememos que nos va a robar el gozo.**

La fuente de felicidad para Sara

Anhelamos un hijo. Perdí la cuenta de las oraciones que elevamos a Dios rogándole por un hijo. Jehová nos había prometido darnos más descendientes que estrellas en el cielo o arena en la orilla, pero al llegar a la menopausia, me pareció imposible.

Las mujeres a mi alrededor tuvieron hijo tras hijo, pero seguimos sin ninguno. ¿Será que Dios pensó que no sería buena madre? ¿Qué hay malo en mí? ¿No era el propósito principal darle hijos a mi esposo? Pero no lo pude hacer.

Por amor a mi esposo, le di a mi esclava para que le diera un heredero. ¿Qué estaba pensando? Fue muy mala idea... Las cosas me explotaron en la cara con tal decisión. Ella me despreció, pensando que fue más mujer que yo porque le dio un hijo a mi esposo.

Y aunque Abraham amaba a su hijo, no pude tolerar tenerles más en la casa. Les mandamos lejos, y yo seguí sin hijo. Cualquier esperanza lejana que tenía de dar a luz a un hijo fue tan remota que cuando unos ángeles visitaron a Abraham y le dijeron que dentro de un año yo le daría un hijo, me reí.

Destrozada, hice las paces con la situación. Mi cuerpo ya no daba para eso y mi expectativa del cumplimiento de la promesa del ángel fue casi inexistente.

Pero luego pasó. Lo que sólo se puede describir como un milagro. ¡Estaba embarazada! Al principio, nadie me creyó. Por poco yo no lo creía: ¡Una mujer de mi edad, con hijo!

Creció mi vientre y con él, nuestro gran amor por ese hijo prometido. Fue la respuesta a nuestras oraciones y el cumplimiento del pacto de Dios con nosotros.

Le dimos el nombre de Isaac, que significa "risa." Me reí con gozo abundante cada vez que decía su nombre. "Isaac, mira como estás creciendo." "Isaac, no debes comerte la toalla." "Isaac, ven a lavarte las manos para comer..."

Pasaron los años y mi nueva felicidad fue indescriptible, inapagable, e innegable.

Luego, pasó lo increíble. Dios pidió a Abraham que sacrificara nuestro hijo, el único y primogénito, mi querido Isaac, en la montaña.

Las Escrituras no nos dicen en Génesis 22 si Sara sabía o no sabía lo que Dios le pidió a Abraham. Sin embargo, vamos a contestar las siguientes preguntas imaginando que Dios le pidió a Sara y no a Abraham que hiciera el sacrificio de Isaac.

Basado en esta historia, contada de Génesis 22:1-2 y los capítulos anteriores, ¿Cómo crees que Sara reaccionaría ante Dios cuando le pide sacrificar su nueva fuente de felicidad?

¿Cuáles son tus fuentes principales de felicidad? ¿Te cuesta pensar en escribirlas por temor a que Dios te pida que las sacrifiques?

Por fe, Abraham dio a Dios la última palabra de verdad sobre su fuente principal de felicidad.

Mira lo que Abraham dice a sus siervos antes de que él e Isaac suben al monte para el sacrificio en Génesis 22:5. "El muchacho y yo seguiremos adelante para adorar a Dios, y luego *regresaremos* junto a ustedes" (*énfasis agregado*).

Abraham está seguro de que tanto él como el hijo van a volver, aunque sabe que Dios le llamó a sacrificar su único hijo, el que ama.

¿Cómo responde Dios a Abraham en Génesis 22:18? ¿Por qué cumple Dios con Su promesa?

La fe y la obediencia nos llevan al contentamiento

Dios nos llama a tomar el paso de obediencia por fe: dar a Dios la última palabra en todo aspecto de nuestras vidas.

Fe en el plan de Dios, no una versión aguada de él, tampoco algo agregado o sacado del plan... Fe en las metas de Dios, no en mi perspectiva limitada de felicidad temporal, momentánea, y no duradera... Fe en el tiempo de Dios, no en mis expectativas de la manera en la que creo que mi vida debe salir, ni según el mundo describe una "vida normal."

Cuando siempre buscamos el próximo paso, le robamos al presente de su gozo y su valor.

Mentira: Seré feliz cuando tenga novio.

Mentira: Seré feliz cuando me case.

Mentira: Seré feliz cuando tengamos hijos.

Mentira: Seré feliz cuando los niños ya no estén en pañales.

Mentira: Seré feliz cuando los niños vayan a la escuela.

Mentira: Seré feliz cuando sobrevivamos los años de su adolescencia.

Mentira: Seré feliz cuando los hijos salgan de la casa.

Mentira: Seré feliz cuando tenga nietos.

Selecciona una de estas mentiras para poner en el Cuadro de Mentira/Verdad y escribe una verdad en tus propias palabras en la segunda columna.

Para el número dos, escribe otro par de mentira/verdad sobre una circunstancia actual en tu vida que querrías que fuera distinta. Luego, escribe una porción de Filipenses 4:11-12 en la columna para *Recordar*.

RECONOCER la mentira (en tus propias palabras)	REEMPLAZAR la mentira con la verdad (en tus propias palabras)	RECORDAR la verdad (referencia bíblica)
1.		"No lo digo porque tenga escasez, pues he aprendido a contentarme, cualquiera que sea mi situación. Sé vivir humildemente, y sé tener abundancia; en todo y por todo estoy enseñado, así para

		estar saciado como para tener hambre, así para tener abundancia como para padecer necesidad." Fil. 4:11-12
2.		

Puede que un espíritu de contentamiento no te venga naturalmente, pero el hacer una lista de bendiciones por las cuales estás agradecida puede ser un buen paso adelante para obtener una actitud de contentamiento. El próximo paso es dar gracias al Gran Proveedor por esas bendiciones.

La oración como camino a la obediencia y la fe

Damos gracias a Dios por Su provisión y cuando hablamos con Él en oración, estamos alineando nuestros pensamientos con los Suyos, confiando en Su voluntad, y buscando Su dirección. Jesús promete en Mateo 6:33 que si buscamos primeramente Su reino y Su justicia, todo lo demás se nos dará por añadidura.

La oración nos ayuda a mantener las prioridades bien puestas y tener la buena perspectiva. **Y la oración es un aspecto vital e integral en nuestro camino hacia una fe más profunda y la** obediencia comprometida. A través de la oración y el estudio de la Palabra, damos a Dios la última palabra y no las mentiras de Satanás ni las frustraciones de la vida.

"Quédate quieta y reconoce que yo soy Dios."

Fue el día después del día de acción de gracias. Nos paramos al lado de la casa de mis tíos, y las brasas de la última parte de la casa que quedó, brillaron en mis ojos, llenos de lágrimas. El grupo reunido, irónicamente, tiritamos del frío de la mañana después de que el calor del fuego había destrozado su hogar. Mis manos, manchadas de cenizas tomaron las otras palmas, llenas de hollín. Luego, mi tío levantó una oración a Dios, agradecido a los que vinieron para apoyarles y ayudarles en un tiempo de tanta pérdida.

Pero ni mis lágrimas, ni las de mi tío fueron en duelo por lo que perdieron en el incendio. Su emoción humilde, de corazón, fue de agradecimiento porque sobrevivieron las cosas que verdaderamente nos hacen felices: la familia y los amigos que les rodearon con sus abrazos, sus oraciones, y sus brazos fuertes, dispuestos a buscar las fotos y cualquier otra cosa que se podía rescatar de los restos de la casa... la casa donde habían criado a sus hijos, hospedado a muchos, y el lugar hospitalario que fue su hogar.

Una paz y confianza en Dios llenaron los corazones de mis tíos en un momento de gran pérdida. **Porque la fuente de su felicidad no se centró en el contenido de la casa, sino en el Señor que edificó la familia que residió allí.**

El gozo no fue la única emoción que enfrentaron, por supuesto. Pasaron por todas las etapas del duelo al sentir la pérdida de tantas cosas terrenales que habían perdido.

Satanás atacó a mi tío con la mentira, "Y ahora, ¿Qué vas a hacer? Has perdido todo…?" Y la lucha mayor de mi tía fue las maneras distintas en las que ella y mi tío procesaron el duelo, y cómo cada uno manejó la pérdida y el proceso de reconstrucción. Eso le presentó la mentira de que su matrimonio no sobreviviría. Fue uno de los muchos ataques de Satanás, presentados a mi tía después de la tragedia.

Sin embargo, se regocijaron y descansaron en el hecho de que las verdades de Dios son más fuertes. Mi tía compartió, "Durante los catorce meses de ver cómo Dios cuidó de los detalles más mínimos, creo que lloré más sobre las bendiciones de Dios que sobre cualquier cosa que perdimos en el fuego."

Satanás bombardeó a mi tía con las mentiras sobre la fuente de su felicidad y su estabilidad, pero ella se consoló en versículos tales como Isaías 26:7 y Salmo 46:10 para sobrellevarla cuando su propia fuerza le falló.

"La senda del justo es llana;

tú, que eres recto, allanas su camino" (Is. 26:7).

"Quédense quietos, reconozcan que yo soy Dios…" (Sal. 46:10).

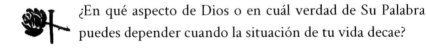 ¿En qué aspecto de Dios o en cuál verdad de Su Palabra puedes depender cuando la situación de tu vida decae?

La felicidad *no* es la meta principal. Pero Satanás trabaja con toda su fuerza para convencernos de lo contrario. Cuando respondemos con fe, reconocemos sus mentiras y las reemplazamos con la verdad, recordando la verdad de la Palabra de Dios. Vamos a dar a Dios **la última palabra sobre el gozo** (no la felicidad basada en las circunstancias), **la última palabra sobre la obediencia** (porque a Dios le importa más mi santidad que mi felicidad), y **la última palabra sobre las prioridades** (porque cuando le pongo de primero, todo lo demás se me dará por añadidura).

Elementos Comunes:

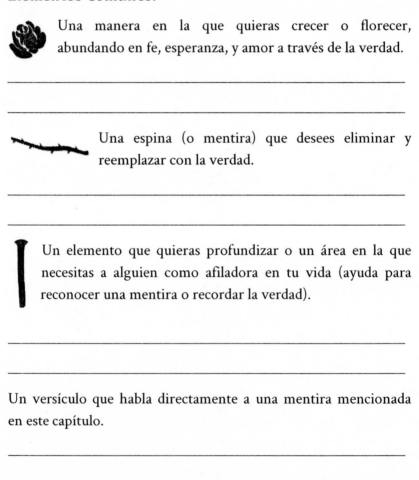

Una manera en la que quieras crecer o florecer, abundando en fe, esperanza, y amor a través de la verdad.

_____

_____

Una espina (o mentira) que desees eliminar y reemplazar con la verdad.

_____

_____

Un elemento que quieras profundizar o un área en la que necesitas a alguien como afiladora en tu vida (ayuda para reconocer una mentira o recordar la verdad).

_____

_____

Un versículo que habla directamente a una mentira mencionada en este capítulo.

_____

_____

CAPÍTULO 8

Mentira: Lo tengo que hacer yo sola

Si quieres ir rápido, anda solo. Si quieres ir lejos, anda acompañado. –
Proverbio africano

Todos queremos ser una gran persona, pero no queremos que otros sepan que queremos ser una gran persona. – Phil Lineberger

L a torta de chocolate que se llama La Torta de las Papas de Idaho, es mi favorita. Se ha compartido la receta en mi familia por años. Primero la vimos en el periódico *Capper's Weekly*[7] en la cocina de mi abuela en el estado de Iowa. La receta pide una taza de puré de papas y es la torta de chocolate más esponjosa que jamás has probado.[8]

Ya que se te hizo agua la boca, y te provoqué un chocolate, imagínate que yo sólo tuviera la taza de puré de papas. Puede que

---

[7] Capper, Arthur, pub., "Idaho Potato Cake," *Capper's Weekly*. Topeka, Kansas, 1913-1986. (no se sabe la fecha original de la publicación de la receta)

[8] La receta de La Torta de las Papas de Idaho se encuentra en el Apéndice A.

sea el puré más cremoso que jamás se ha probado, pero sin los demás ingredientes, nunca se reconocerá una taza fría de puré de papas como torta de chocolate.

Entonces, ¿cuál es el ingrediente más importante para hacer La Torta de las Papas de Idaho? ¿Es el puré de papas que determina su singularidad? Quizás, pero no es nada sin la harina, los huevos, el azúcar, y el chocolate.

La harina sola no es una torta. Los huevos no son una torta. Combinar dos o tres de los ingredientes no es suficiente para obtener el sabor deseado y la textura de La Torta de las Papas de Idaho.

Si no puedo esperar que un solo ingrediente de la receta lleve el peso de la plena identidad de una torta de chocolate, ¿cómo puedo esperar que yo sola cargue con todo el peso de lo que Dios me llama a hacer?

La mentira, "Lo tengo que hacer yo sola," es una trampa fácil para las perfeccionistas, pero no es exclusiva para ellas. Todos tienen un nuevo estándar: el nivel Pinterest de la perfección. Pinterest y el internet han puesto más presión y estrés en las madres, para coordinar una fiesta de cumpleaños a nivel de Disney. Las novias, maestras, cocineras, y madres que enseñan a sus hijos en casa ya están sujetas a un nivel más alto de expectativas.

No se permite a las mujeres admitir que no pueden hacer algo solas. Tenemos que ser el ejemplo modelo de hermana, esposa, madre, tía, abuela, estudiante, obrera, y amiga. Hacemos malabarismos con los papeles que jugamos tratando de llegar a una perfección imposible.

Mi llamado de socorro

Pasé una semana en una cabaña en las montañas de Colorado, con el fin de tener un tiempo para concentrarme a escribir este libro. Cayó tanta nieve que quedé atrapada. Fue la nieve más fuerte que había caído ese año y mi Corolla de la Toyota tuvo problemas para llegar. No me quería imaginar los problemas que tendría al tratar de salir con tanta nieve.

Siguió cayendo la nieve y disfruté la belleza de los copos blancos acumulándose, pero mis preocupaciones se estaban acumulando también. Los árboles, llenos de nieve fresca, se doblaban por el peso. Y yo también me estaba doblando, por el peso de la magnitud de todo lo que quería lograr.

Llegué a la cabaña sola y lo que comenzó como un retiro por cinco días se había convertido en una semana aislada de todo contacto humano. Mis temores y dudas aumentaron con cada centímetro de nieve, y me pregunté cómo iba a poder salir.

Una persona fuerte, independiente, a quien le cuesta pedir ayuda o admitir que no puede hacer algo, hasta orgullosa de sus habilidades... me estaba desmoronando. Me afectaron mis nervios, y me agobiaron las emociones. El temor estaba por tumbarme, y las mentiras de Satanás fueron abrumadoras. Me encontré en medio de una batalla espiritual y sentí que estaba por perder. Hasta se manifestó de manera física por medio de un malestar de estómago y un dolor de cabeza.

Por fin, levanté el teléfono de la casa, marqué los 33 números que se requería para llamar a alguien por la línea de teléfono de la casa (no había cobertura celular), y contestó mi hermana. Luché con mis lágrimas y le pregunté que si tenían planes para el fin de semana... que si sería posible venir a ayudarme con la gran cantidad de nieve y seguirme en el carro de regreso a Denver para asegurarnos de que no me quedara atrapada por el camino en la nieve y el hielo en la carretera.

Me escuchó con paciencia y compasión, y se comprometió hablar con el esposo y devolverme la llamada. Luego de menos de quince minutos, sonó el teléfono con buenas nuevas. Consiguió al esposo a la hora de su almuerzo e iban a coordinar para venir a rescatarme.

Comenzaron mis lágrimas nuevamente, pero no del dolor de la batalla espiritual, sino de agradecimiento de la provisión de Dios. Me había aferrado a la mentira, "Lo tengo que hacer yo sola," y me tenía paralizada. Me cegó para no ver con los ojos de esperanza.

Luego, cuando me avisaron que no era posible venirme a llevar de vuelta a la civilización, me di cuenta de algo más profundo: **El alivio que sentí, vino no por haber recibido su ayuda, sino por haber pedido la ayuda.** Pedir ayuda no fue egoísta de mi parte. Al contrario, fue un paso para aplastar el orgullo que se encuentra en la mentira de que "Lo tengo que hacer yo sola."

El mismo Jesús pidió ayuda de Sus discípulos cuando estaba por enfrentar la noche más difícil de Su vida (Mt. 26:36-41). Y Él nos pide ayuda para compartir las buenas nuevas con el resto del mundo (Mt. 28:18-20; Mc. 16:15-16).

"Nuestra ayuda segura en momentos de angustia" (Sal. 46:1) nos libera del temor que nos estorba cuando levantamos nuestros ojos a las montañas y recordamos la verdad que nuestra "ayuda proviene del Señor, creador del cielo y de la tierra" (Sal. 121:1-2).

 Inspirada por mi historia en las montañas, sobre las mentiras de tener que hacer las cosas solas o las mentiras sobre el pedir ayuda, vamos a dar a Dios la última palabra y crear otro Cuadro de Mentira/Verdad abajo.

RECONOCER la mentira (en tus propias palabras)	REEMPLAZAR la mentira con la verdad (en tus propias palabras)	RECORDAR la verdad (referencia bíblica)

El llamado de Israel por ayuda

"Dios nuestro, ¿acaso no vas a dictar sentencia contra ellos? Nosotros no podemos oponernos a esa gran multitud que viene a atacarnos. ¡No sabemos qué hacer! ¡En ti hemos puesto nuestra esperanza!" (2 Cró. 20:12).

Los israelitas siempre fueron oprimidos por las naciones a su alrededor. Durante el tiempo de los jueces, los madianitas fueron entre sus enemigos más fuertes. Los judíos clamaron a Dios para que les liberara y Dios escuchó sus peticiones. Entonces, llamó a Gedeón para servir como Su instrumento de redención.

¿Dónde encontró Dios a Gedeón?

 ¿Por qué estaba trillando trigo en un lagar?

Normalmente, uno trilla el trigo en un espacio amplio y abierto para que el trigo se separe de la paja, pero Gedeón decidió hacer su tarea en un lagar. Se había rendido. Tiró la toalla, y se estaba escondiendo. Quería evitar el estrés y la intensidad de lo que estaba pasando a su alrededor. Y tenía miedo.

Cuando el ángel del Señor llegó a Gedeón, le recordó, "El Señor está contigo, guerrero valiente" (Jue. 6:12). Gedeón dudó, pero el Señor afirmó tres veces su llamado, para rescatar a Israel de la mano de los madianitas. La primera vez, prendió un incendio en el sacrificio que Gedeón le había llevado. Y dos veces más, a petición de Gedeón, Dios hizo que el vellón de lana estuviera mojado y la tierra seca, luego el vellón de lana estuvo seco y la tierra mojada. Esos ejemplos dieron testimonio de que Dios iba a salvar a Israel por medio de Gedeón.

Después de que Dios seleccionó a Gedeón como Su instrumento para el rescate de Israel, ¿Qué le dijo Dios a Gedeón en Jueces 7:2?

¿Por qué crees que Dios escogió a un siervo dudoso para traer redención a Su pueblo?

¿Cómo calma Dios los temores de Gedeón una vez más (Jue. 7:8-15)?

Haz una lista de tres cosas que la historia de Gedeón nos revela sobre cómo es Dios. (Para toda la historia, puedes leer Jueces 6 y 7).

Ciertamente, Dios no dejó a Gedeón a solas para enfrentar el ejército de los madianitas. Vemos en Jueces 6:34, "Entonces Gedeón, poseído por el Espíritu Santo..." Ese lenguaje es similar a lo que se lee en Gálatas 3:27 cuando somos revestidos de Cristo en el bautismo.

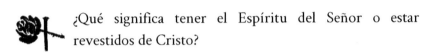 ¿Qué significa tener el Espíritu del Señor o estar revestidos de Cristo?

Con el espíritu del Señor a nuestro lado, podemos enfrentar cualquier cosa que se nos presenta, no a solas, sino con la ayuda segura en todo momento.

La historia de Casia

Casia luchó con la mentira de que podía lidiar con lo que fuera que se le presentara en la vida. Permíteme compartir parte de su historia, en sus propias palabras:

Mi corazón sufre por estar aquí en la tierra. Tengo un anhelo profundo que se siente un poco fuera de mi alcance. A veces, me baño porque no aguanto el peso de mi propio cuerpo. Quiero sumergirme para sentirme más liviana.

¿Soy la única? Se siente pesado, como si sólo pudiera mirar a los cielos y confiar en el versículo que dice, "No veamos las cosas del mundo," me levantaría por encima de todo.

Hay días en los que siento que Cristo suavemente pone Su mano debajo de mi mentón para levantar mi cara e inclinar mi rostro para ver Su cara. Hay días en los que me siento liviana, que el peso de mi cuerpo no es demasiado... pero hoy, este día en que está lloviendo y el color gris entra en todo lo que antes tenía color, me pregunto sobre dónde se encuentra el sol. Sé que está por allí. Sé que sin él, toda la vida cesaría. Está un poco más allá de las nubes, y está trabajando más duro hoy para llevarme su luz.. Trabaja más dura de lo que hizo el otro día soleado para romper las nubes y darme vida... pero se siente un poco fuera de mi alcance.

Este año pasado ha traído gozo y dolor inesperados. Reflexiono sobre el pasado y me pregunto qué me pasaría si tomara otras decisiones.

¿Diferente es igual a mejor? No lo creo.

No cambiaría nada, ni una decisión, ni un movimiento, ni una lágrima. Esas lágrimas, decisiones, risa, tranquilidad... me han hecho esta persona.

Estoy...

Renovada: *hecha nueva, hecha de nuevo, refrescada, fortalecida.*

Hace unos años, pasé por lo mismo con Dios. Y estoy segura de que no va a ser la última vez tampoco. Dios promete nunca dejarme ni abandonarme hasta que Su obra sea realizada en mí. Estoy caminando con Él, confiando que sí es la verdad. ¿Te has encontrado allí? Cuando todo lo que pensabas saber, se derrumba y te das cuenta de todo lo que has demandado de Dios, lo que creías que era lo mejor...

Es la espina en mi cuerpo: Soy fuerte. Soy competente. Te puedo amar con todo mi ser. "Mándamelo Dios. Te mostraré de lo que estoy hecha."

He creído la mentira de que yo, "Casia," puede conquistar lo que sea que Dios me manda en la vida. ¿Ves la mentira en eso? Creo que Dios me está mandando cosas o situaciones para ver si aguanto la presión. Y cuando creo eso, quito todo el poder de la cruz, todo el dolor, el sacrificio, y la sangre derramada por mí, y pongo a Jesús de vuelta en la tumba.

No murió por mí, ni pasó por el infierno, ni fue maltratado y escupido, abandonado por todos los que amaba, y separado de Dios, para luego mandarme unas pruebas para ver cuán fuerte soy.

Reflexionemos sobre lo que significa que Jesús estaba separado de Dios por un momento. Nunca, jamás, hasta ese punto de Su vida, había estado sin Dios. Por la eternidad eran uno. No tenemos una manera para comprender la magnitud de dolor, pérdida, tristeza, y agonía que sintieron. Quizás lo podemos comparar con no poder mover nada del cuerpo, sabiendo lo que eras, pero dejado con lo que ya no eres por no poder hacer nada... Y esa descripción apenas toca la superficie del sacrificio que hizo.

La segunda mentira es que yo tengo que ser fuerte. Llevo treinta años con esta mentira y está tan arraigada que sus raíces dan vueltas por varias partes de mi ser. Consume el quien soy y por lo tanto, aunque la estoy mirando, no la veo.

Hace unos días, estaba acostada, llorando. El Espíritu Santo me encontró allí en mi tristeza.

Yo: "No lo puedo hacer. No lo aguanto. Estoy cansada."

La dulce voz del Espíritu Santo: "Casia, no lo tienes que sostener. Suéltalo. Lo tenemos. Te tenemos."

Yo: "¡Pero esa es quien soy! ¡Es lo que hago! ¡Soy fuerte!"

Espíritu Santo: "Tú eres fuerte, pero no porque has sostenido algunas cosas. Eres fuerte porque estamos contigo. Descansa."

Pero si me quitas todo eso, ¿con qué me quedo? Mi fuerza me define, o pensé que me definía. Pero no es verdad; no me define. No me había *rendido de todo cuando me fui de África, o cuando terminé el compromiso que tenía con mi novio porque no era una relación saludable. El Padre, el Hijo, y el Espíritu Santo estuvieron conmigo y me dieron la fuerza necesaria para sobrevivir esas situaciones.*

Y ahora, por otro lado, Dios me bendijo con un esposo maravilloso que me ama. Dios me lo dio no porque yo estaba dispuesta a sacrificar y confiar en Dios. Me bendijo con Phil porque así es Dios. Nos bendice porque Él es amor. No se trata de que, "Si yo le doy algo a Dios, me dará una bendición." Sino que es mano a mano, caminando juntos en lo bueno y lo malo.

Entonces, no aguanto el peso de mí misma ahorita, porque he visto el pecado que me consume. Me rindo para poder renovarme. Ese proceso es difícil, pero tan bueno. Me cansa tratar de sostener, yo sola, el mundo repleto de dolor. Voy a dejar que Dios desenmascare la mentira de que yo tengo que ser fuerte, pero me duele. Y hay que poner la verdad en esos lugares de dolor para que se sanen. Estoy mirando al sol y al Hijo.

"Recuerdo el momento en que respiraste en mi corazón. Tu voz fue un susurro al pie de mi cama. El cuarto se bañó en amarillo, con el sol de un nuevo día. Canté con los ojos cerrados. No tenía temor." Lauren Plan Goans[9]

El apoyo del Espíritu Santo

 ¿Qué papel jugó el Espíritu Santo en la historia de Casia?

Cuatro veces en el libro de Juan, la palabra griega, *paracleto* se usa para describir el Espíritu Santo. Mayormente se traduce como

---

[9] Plank Goans, Lauren. Cantante, escritora de cantos, y amiga de Casia.

Consolador, pero la misma palabra griega se usa en 1 Juan 2:1 para describir a Jesús como nuestro Intercesor.

 ¿Cuál es la promesa dada por Cristo sobre el Espíritu Santo en Juan 14:16-17, 26?

Según Gordon Dalbey en *La sanación del alma masculina*, la palabra griega *paracleto* fue un término antiguo de los guerreros. "Los soldados griegos entraban en la batalla por pareja," dice Dalbey, "para que cuando atacara el enemigo, podrían ponerse de espalda, cubriendo el lado ciego del otro. El compañero en la batalla fue el *paracleto*."[10]

Un *paracleto* se queda a nuestro lado, nos aconseja, nos consuela, intercede por nosotros, y es un compañero listo para la batalla en cualquier cosa que enfrentamos.

Ahora, vamos a ver dos capítulos más adelante sobre cómo Jesús describe el papel del Espíritu Santo. Lee Juan 16:7-15. ¿Qué habla el Espíritu (v. 13)?

¡Vamos a ver al Intercesor, nuestro *paracleto* y hablador de la verdad, la última palabra!

El apoyo de la iglesia

Dios nos dio el Espíritu Santo para ayudarnos y caminar con nosotras, pero también nos dio Su iglesia.

---

[10] Dalbey, Gordon. *Healing the Masculine Soul* (Nashville: Thomas Nelson, 2003) 124.

El desafío es: Satanás quiere hacer todo lo que puede para detenernos y para que no aprovechemos los recursos que Dios provee.

Nos dice que somos un fracaso si pedimos ayuda, tal como lo hizo conmigo cuando estuve en las montañas, y con Josefina, cuya historia comparto abajo.

Josefina[11] manejó su carro desde California, por la mitad del país para asistir a la universidad. El ambiente de la universidad, lejos de la familia y los amigos, le fue muy estresante.

"Comencé a aislarme socialmente. Al principio, fue una decisión subconsciente. Evité la cafetería, diciendo que no tenía tiempo para almorzar o cenar porque tenía que estudiar o practicar mi música. Abrumada con la tarea de mis clases, y fuera de lo que me era cómodo, encontré excusas para ni socializar ni comer.

"Eventualmente, se me hizo difícil comer en público. No lo noté como algo problemático. Si pasaban unos días y me sentía débil, me decía a mí misma que no tenía tiempo para una buena comida, así que pasaba por un restaurante en el carro, pedía algo rápido, y lo comía en el carro, revisando el retrovisor con el temor de que alguien me viera. Seguí sin verlo como problema."

*Un lunes por la tarde estaba viendo un programa de entrevistas. El segmento ese día fue sobre problemas alimenticios, y una mujer detalló su día normal. Josefina dijo, "Fue como verme en un espejo. Fue el momento en que me di cuenta que tenía un problema, pero **ya me había metido tanto en esos patrones de pensamiento y comportamiento que no sabía cómo salir."***

"Pedir ayuda fue un concepto nuevo para mí, dado que mi vida había sido ideal hasta ese momento." Pero ahora, ella se sintió fuera de control

---

[11] Nombre cambiado a petición de la contribuyente

y ahogada en su soledad. "Mis estados de ánimo subían y bajaban (así pasa cuando uno no come), y me mantuve ocupada con mis estudios para evitar el problema central."

"Pudiera haber pedido ayuda. A muchos les importé. Un compañero de mi estado natal estaba estudiando allí también. Fue mi único amigo, y habiendo notado los cambios drásticos desde los días en la secundaria a la universidad, trató de intervenir. La mayoría de las noches, a la hora de dormir, me llamaba para invitarme a almorzar con él el próximo día. Cada noche, aceptaba la invitación, pero cuando ya llegaba el momento de comer, me sentía insegura, pensando que me estaba juzgando: cuánto comía, calculando las calorías que consumía (los varones, para que sepas, no piensan tan profundamente)."

"Muchas veces inicié una discusión con mi único amigo y me fui enojada, todo para no tener que comer en público. Y todas las noches, él me llamaba para ver cómo estaba. Le pedía perdón y él decía, "¿Quieres intentar otra vez mañana?" Fue un amigo cuando no merecía ninguno."

Josefina pasó todo el año escolar privándose de comida, aislándose, y viviendo bajo la mentira que ella tenía todo bajo control. Nunca dejó que nadie supiera cómo era su vida de verdad.

"Admitir que necesitaba ayuda, en mi mente, fue admitir un fracaso."

"Mi futuro era desconocido. Había pasado toda mi vida con un plan y se me estaba deshaciendo el plan. Mi ansiedad me consumía, y mi mente se transformó por la necesidad de controlar la única cosa que podía: mi dieta."

El entrenador vocal de Josefina fue el primero que le forzó a hacer algo al respecto. El entrenador notó debilidad y estrés en su voz, y un cambio en su comportamiento. La consejería fue difícil, pero un paso necesario si quería seguir con sus estudios. El consejero le animó a hablar con sus padres, a pesar de su temor de decepcionarlos o preocuparlos.

Adelantamos la historia dos años con mejor salud... Josefina estaba viajando por todo el mundo, involucrándose en los viajes misioneros, y usando su segundo idioma para el reino de Dios. Amaba su vida, y había ganado la batalla, pero no toda la guerra.

"Satanás nunca se da por vencido. Cuando mi agenda se llenaba, o cuando un hombre rompía nuestra relación, luchaba contra mis acciones anteriores y los pensamientos dañinos. Hizo que, a veces, me comportara muy tímida o demasiado atrevida con los varones. Me arrepiento de eso también. Estaba buscando la aprobación cuando ya tenía la de Dios.

"Satanás me mintió cuando trató de convencerme de que tenía que tener todas las respuestas ahora. Mintió cuando me mandó el mensaje de que yo sería un fracaso si pidiera ayuda. ¡Pero para eso existe la familia de la iglesia! Mintió cuando trató de decirme que no era suficiente. ¡Soy perfectamente y maravillosamente hecha por Dios!

"Hoy día, dejo que mis amigos en Cristo sepan cuando necesito oración. Busco ayuda profesional de vez en cuando, si la necesito. Satanás nunca deja de luchar y yo tampoco, pero ya no lucho a solas. El versículo que siempre me ha animado y me recuerda quien está a cargo de mi vida es Salmo 4:8. Es un versículo sencillo, pero para alguien como yo, dárselo a Dios todas las noches y acostarme en paz, sabiendo que Él hace que yo more en seguridad, es una tremenda promesa que necesito."

"En paz me acuesto y me duermo, porque sólo tú, Señor, me haces vivir confiado" (Sal. 4:8).

 Antes de seguir, haz un Cuadro de Mentira/Verdad en la próxima página, inspirada por Josefina, así como ella sigue dando a Dios la última palabra en su vida.

RECONOCER la mentira (en tus propias palabras)	REEMPLAZAR la mentira con la verdad (en tus propias palabras)	RECORDAR la verdad (referencia bíblica)

Los unos a los otros

Más de cincuenta veces en el Nuevo Testamento, Dios nos da instrucciones sobre las interacciones los unos con los otros. La iglesia es un cuerpo con Cristo la cabeza (1 Cor. 12) y nos apoyamos según la actividad propia de cada miembro (Ef. 4:11-16).

"Ayúdense unos a otros a llevar sus cargas, y así cumplirán la ley de Cristo" (Gal. 6:2).

"Por eso, confiésense unos a otros sus pecados, y oren unos por otros, para que sean sanados. La oración del justo es poderosa y eficaz" (Sant. 5:16).

"Preocupémonos los unos por los otros, a fin de estimularnos al amor y a las buenas obras" (Heb. 10:24).

"Ámense los unos a los otros con amor fraternal, respetándose y honrándose mutuamente" (Rom. 12:10).

Normalmente, lo hacemos al final del capítulo, pero quiero dar más énfasis a los Elementos Comunes ahora, al poner unos de estos versículos en práctica. Los Elementos Comunes son una manera de hacer personales y prácticos muchos de los puntos que hemos visto en este capítulo sobre la mentira, "Lo tengo que hacer yo sola."

En vista de los versículos sobre las relaciones, debemos primero entrar en la relación, saliendo de lo que es siempre cómodo, y entrando en las vidas de otros.

Puede que te cuesta pedir ayuda. Es posible que una experiencia en tu pasado te dificulta confiar en otros...

Ora, pidiéndole a Dios, que te guíe a la persona con la cual puedes ser vulnerable. Tal como hablamos en el capítulo 6, Satanás nos quiere atrapar en la mentira de que estamos solas y no hay más nadie que entienda las cosas por las cuales estamos pasando.

Al contrario, aún cuando sentimos que la iglesia y otros nos han fallado, **tenemos un Paracleto Perfecto: un Intercesor listo para la batalla, probado por el tiempo, y un Consolador, a nuestro lado.**

Por lo tanto, cuando comparten los Elementos Comunes con sus Hermanas Rosa de Hierro, no se olviden de interceder las unas por las otras en oración e inviten al Espíritu Santo, nuestro paracleto espiritual, a apoyarlas y darles esperanza.

Nota especial: No es el fin del capítulo aunque estamos viendo los Elementos Comunes en este momento.

Elementos Comunes:

 Una manera en la que quieras crecer o florecer, abundando en fe, esperanza, y amor a través de la verdad.

Una espina (o mentira) que desees eliminar y reemplazar con la verdad.

_____

_____

Un elemento que quieras profundizar o un área en la que necesitas a alguien como afiladora en tu vida (ayuda para reconocer una mentira o recordar la verdad).

_____

_____

Un versículo que habla directamente a una mentira mencionada en este capítulo.

_____

_____

Fuerza en Cristo

Escribe el versículo Filipenses 4:13 abajo.

Lee el versículo varias veces en voz alta y, cada vez, pausa después de una palabra distinta, reflexionando sobre el significado de cada una...

Ahora, haz un círculo en la palabra "en" (en Cristo) donde escribiste Filipenses 4:13. ¿Qué pasa cuando se pone énfasis en esa palabra?

No se trata de hacer lo que sea, o toda cosa que nos de la gana, porque Cristo está con nosotros. **Sino que se trata de tener la fuerza para enfrentar lo que venga porque estamos en Cristo.**

¿Cómo cambia la reacción a las circunstancias de la vida cuando consideramos las diferentes interpretaciones de Filipenses 4:13?

Cuando logramos las cosas en Cristo, ya no tenemos que enfrentar nada a solas. ¿Qué dice Mateo 11:28-29 sobre esa verdad?

Trampas fáciles con la mentira: Lo tengo que hacer yo sola

Mentira de comparación: No lo puedo hacer tan bien como otra, así que ni vale la pena intentar.

Mentira de sobrecarga: Esta situación está desesperada y no veo salida.

Mentira de orgullo: Yo soy la mejor para hacer esto.

Mentira egoísta: No puedo dejar que más nadie me ayude con este proyecto (o dejar que otra utilice sus dones para servir).

Mentira de preocupación: Mientras más me preocupo, mejor me salen las cosas.

Usando las mentiras personales que enfrentas (quizás una de las trampas enlistadas), selecciona tres de las siguientes verdades de la Biblia (o escoge una por ti misma) para llenar el Cuadro de Mentira/Verdad, dando a Dios la última palabra de esperanza.

Éxodo 14:14

Salmo 63:6-8

Deuteronomio 8:4

1 Samuel 17:45-47

Jeremías 32:27

1 Corintios 12:12-14

Colosenses 3:16

RECONOCER la mentira (en tus propias palabras)	REEMPLAZAR la mentira con la verdad (en tus propias palabras)	RECORDAR la verdad (referencia bíblica)
1.		

RECONOCER	REEMPLAZAR	RECORDAR
2.		
3.		

Para terminar, vamos a ver un ejemplo más del diseño de Dios para la comunión los unos con los otros, y el apoyo de otros.

Lee Éxodo 17:8-16.

¿Qué le proveyó Dios a Moisés cuando se cansaron sus brazos?

Si te sientes débil como Moisés, pídele a Dios que te mande a un Aarón y un Jur que te puedan apoyar. **Hay esperanza y Dios no va a permitir que enfrentes la batalla sola.**

Pero, al contrario, si te encuentras en un tiempo de fuerza, pídele a Dios para que te use como Aarón o Jur en la vida de otra para recordarle la verdad y la esperanza que tenemos en Dios.

Más valen dos que uno,

porque obtienen más fruto de su esfuerzo.

Si caen, el uno levanta al otro.

   ¡Ay del que cae

   y no tiene quien lo levante!

Si dos se acuestan juntos,

   entrarán en calor;

   uno solo ¿cómo va a calentarse?

Uno solo puede ser vencido,

   pero dos pueden resistir.

¡La cuerda de tres hilos

   no se rompe fácilmente! (Ecl. 4:9-12)

Un hombre pidió a su hijo que rompiera un grupo de palos atados. Regresó poco después para ver cómo iba el hijo y lo encontró frustrado. El niño levantó el haz de palos y trató de romperlo sobre su rodilla, pero sólo salió con un morado. Puso el haz de palos en la pared y trató de pisarlo con el pie, pero ni se dobló.

El padre tomó el haz y lo desató. Luego, comenzó a romper los palos, uno por uno.[12]

Así es con la iglesia: juntos somos fuertes, pero divididos fracasamos o rompemos. Vamos a dar a Dios la última palabra y reemplazar la mentira, "Lo tengo que hacer yo sola."

---

[12] Green, Michael P., ed., *1500 Illustrations for Biblical Teaching* (Grand Rapids: Baker Books, 2005), 66.

CAPÍTULO 9

Mentiras que creemos cuando estamos desanimadas

A veces Dios calma la tormenta, y a veces deja que siga la tormenta y calma a su hijo. – Desconocido

Lo que hacemos en una crisis depende de si vemos la dificultad por la luz de Dios, o a Dios en la sombra de la dificultad. – G. Campbell Morgan

La tierra no tiene ninguna tristeza que los cielos no puede sanar. – Thomas Moore

Todos los años, después del día de acción de gracias y antes de la navidad, hay tres películas que siempre me gusta ver: *Milagro en la Calle 34, Elf,* y *¡Qué bello es vivir!* con el actor Jimmy Stewart.

¡Qué bello es vivir! es una película clásica en blanco y negro. Y no importa cuántas veces la veo, se me salen las lágrimas al final de la película cuando todos demuestran su amor y apoyo por George Bailey.

Al principio de la película, el ángel Clarence dice al ángel Joseph, los dos representados por estrellas en el cielo de noche:

"¿Me llamaste, señor?"

"Sí, Clarence. Un hombre en la tierra necesita nuestra ayuda."

"¡Excelente! ¿Está enfermo?"

"No. Peor. Está desanimado."

¿Lo captaste? He visto la película muchísimas veces, pero nunca me había fijado en esa línea. "No. Peor. Está desanimado."

El desánimo debilita. Afecta todo. Crea una versión aguada de uno mismo. ¿Ya sientes el peso en los hombros al mencionar ese tipo de pensamientos de desánimo?

El desánimo es una de las realidades más básicas de la vida, pero es una que nos puede hacer sentir culpables (un concepto que exploraremos en el próximo capítulo) o que nos puede llevar a la depresión. Sí, dije esa palabra fea: "depresión." Pero si no lo podemos hablar con nuestras hermanas en Cristo, ¿Con quién esperamos enfrentar los desafíos que se nos presentan o que se presentan a otros seres queridos? La depresión nos lleva a las rodillas en desesperación y en oración. Y para quienes no tienen la esperanza de Cristo, la depresión y el desánimo les baja a un nivel más profundo.

La depresión también afecta nuestra memoria: cómo recordamos las cosas que han pasado, lo que otros han dicho, o hasta cómo nos sentimos en el momento. Además afecta los procesos mentales y la claridad. ¿No crees que Satanás va a aprovechar los momentos cuando estemos desanimadas, para distorsionar nuestros recuerdos y dejarnos atrapadas en las mentiras?

¡Qué horrible y cruel ese malandro! El padre de la mentira no demuestra ninguna misericordia y nos agarra cuando ya estamos vulnerables. Si existe un momento en que necesitemos la verdad sobre la vida abundante llena de esperanza, es cuando estamos desanimadas o deprimidas. No vamos a creer las mentiras, sino dar a Dios la última palabra.

La lucha de Elías con la depresión

Elías luchó con el mismo tipo de mentiras justo después de haber probado una tremenda victoria por la mano de Dios. Su desesperación invitó a que los pensamientos negativos opacaran su memoria y las promesas de Dios.

 Comparte un resumen en tres frases de lo que pasó en 1 Reyes 18:16-46.

¿Qué dice Elías en 1 Reyes 19:4?

¿Cuándo y por qué Elías se sintió abrumado por esos pensamientos (1 Reyes 19:1-3)?

¿Luego, qué pasó?

Describe el estado mental de Elías cuando llegó a dormir en la cueva de Horeb, la montaña de Dios, después de cuarenta días y cuarenta noches de viaje. ¿Cuáles fueron sus pensamientos y las mentiras que daban vueltas por su mente esa noche?

Sigue leyendo el resto de la historia en 1 Reyes 19:11-21.

La respuesta amorosa de Dios para Elías

Vamos a explorar las cinco maneras en las cuales Dios responde a la depresión de Elías y a la profundidad de dolor en su alma.

➢ Dios cuidó de sus necesidades físicas.

➢ Dios afirmó a Elías cuando hizo que reconociera Su presencia.

➢ Dios dio un trabajo a Elías.

➤ Dios le recordó la verdad.

➤ Y Dios le mandó ayuda en la persona de Eliseo para confirmar que no estaba solo.

En el espacio debajo de cada una de las respuestas de Dios para Elías, anota cómo Dios hizo cada una de esas cosas con detalles y la cita bíblica de 1 Reyes 19.

 ¿Cuál es tu reacción a la provisión de Dios para Elías?

¿Hace Dios lo mismo por nosotras hoy día? ¿Cómo?

(Reflexión adicional: ¿Por qué Dios no decidió llevarse a Elías de una vez en el carruaje de fuego en ese mismo momento y salvarle del dolor?)

Dios responde en nuestros momentos desesperados

Vamos a ser específicas sobre cómo Dios provee en nuestros momentos de desánimo y depresión hoy. En el espacio abajo, comparte al menos un ejemplo de cómo Dios mismo, o a través de Su iglesia, responde de las mismas maneras que hizo con Elías, cuando nosotras nos encontramos bien desanimadas.

➤ Dios cuida de nuestras necesidades físicas.

➤ Dios nos afirma al darnos a conocer Su presencia.

➤ Dios nos da un trabajo.

➤ Dios nos recuerda la verdad.

➤ Y Dios nos manda ayuda, confirmando que no estamos solas.

Tal como hablamos en el capítulo 6: "Mentira: Yo estoy sola," Dios nos ha bendecido con hermanas en Cristo, o Hermanas Rosa de Hierro, que pueden servir como hierro afilando a hierro, animándonos e inspirándonos a que seamos tan bellas como rosas a pesar de unas espinas. Sé que una de las espinas que yo he enfrentado es la depresión. **Y doy gracias a Dios por las Hermanas Rosa de Hierro Él que ha puesto en mi vida. Me han bendecido de las mismas maneras en las cuales Dios respondió a las necesidades de Elías.**

Días oscuros del alma

Muchas de nosotras, como Elías, han pasado por momentos oscuros. Estadísticamente hablando, las mujeres experimentarán tiempos de depresión casi el doble de las veces que los hombres, durante su vida. "Hay factores biológicos, de ciclo de vida, hormonales, y psicosociales que son únicos de la mujer, que pueden estar relacionados con que la tasa de depresión sea más elevada entre las mujeres."[13] Las benditas hormonas que complican el asunto y afectan los químicos en el cerebro, especialmente cuando nos viene la menstruación, estamos embarazadas, y pasamos por la menopausia. Entre diez y quince por ciento de las mujeres enfrentarán la depresión posparto después de dar a luz.[13]

Entre seis y siete por ciento de la población estadounidense, todos los años, reporta un episodio mayor de depresión. Ese porcentaje no incluye las luchas seguidas con la depresión ni los

---

[13] Instituto Nacional de Salud Mental, NIMH, www.nimh.org Recursos adicionales del Instituto Nacional de Salud Mental están disponibles en el Apéndice B, incluyendo una lista de síntomas, y cómo ayudar a un ser querido o a ti misma durante la depresión.

episodios que no se reportan (los cuales son más comunes que los que buscan el tratamiento).[13]

Por lo tanto, cuesta saber exactamente cuántas personas han enfrentado al menos un episodio de depresión en algún momento de su vida, pero las estadísticas afirman que es una lucha bastante común. Algunos son más susceptibles a la depresión, pero las investigaciones no aclaran el porqué afecta a unos más que a otros.

Aún si nunca has luchado con la depresión personalmente, te garantizo que al menos una persona cercana ya la ha vivido o la experimentará. No te lo cuento así para desanimarte, sino para prepararte y darte esperanza, como alguien que habla desde el otro lado de la depresión. **Juntas, podemos dar a Dios la última palabra cuando nos asaltan las mentiras de Satanás, aumentadas por la depresión.**

> Del Salmo 91: *"El que habita al abrigo del Altísimo*
> *se acoge a la sombra del Todopoderoso.*
> *Yo le digo al Señor:«Tú eres mi refugio,*
> *mi fortaleza, el Dios en quien confío»*
> *Sólo él puede librarte de las trampas del cazador*
> *y de mortíferas plagas,*
> *pues te cubrirá con sus plumas*
> *y bajo sus alas hallarás refugio.*
> *¡Su verdad será tu escudo y tu baluarte!*
> *No temerás el terror de la noche,*
> *ni la flecha que vuela de día..."*

Tiempo en el valle tenebroso

Aunque podría contarles una historia de mi propia experiencia, voy a dejar que mi amiga Sherry comparta su propia situación a finales del año 2009.

Me encontré en un lugar muy oscuro. Había batallas por todos lados y sentí que estaba perdiendo cada una. Un día decidí que ya no quería luchar más. Estaba cansada. Hice maleta y la puse en el baúl del carro cuando no había más nadie en la casa. Más tarde ese día, anuncié que iba a hacer una diligencia, pero de verdad, me estaba escapando. No dije nada a mi esposo ni a mis amigas más cercanas acerca de a dónde iba. La verdad es que ni yo sabía a dónde iba.

Hice mi primera parada en un parque. Era uno de mis lugares favoritos para retirarme y orar, y fue lo que hice. Me quedé en el parque por unas horas, rogándole a Dios que me liberara de la batalla. Señalaba con la bandera blanca que me rendía, pero me sentí frente a ojos ciegos. Me hundía en una oscuridad más profunda.

Ya me tocaba tomar una decisión, pero no me gustaban las opciones que yo misma me estaba dando. Decidí que la decisión más segura era la de darme más tiempo lejos de otras personas y las responsabilidades. Mandé un mensaje de texto a mi esposo informándole que estaba bien, pero que necesitaba un tiempo a solas. Me extendió mucha gracia al permitir que me fuera. Y fue en ese momento que apagué mi celular y me dirigí a un hotel. Cuando llegué a la habitación, ya tenía el buzón de voz lleno de mensajes de mi esposo y una de mis mejores amigas. Pasaron unas horas antes de que pudiera escuchar los mensajes y un poco después, por fin pude responder. ¿Qué palabras tenía para explicar mi comportamiento? Ningunas.

En sus libros, tanto Oswald Chambers y C.S. Lewis describen algo como la noche oscura del alma. Escribieron de sus propias experiencias. Y describe mi experiencia también. Si eres como yo, vemos la oscuridad como algo de maldad, y no cuadra con una seguidora de Cristo. Pero la verdad es que hasta en mi momento más oscuro, y en Su silencio, presentí la presencia de Dios, o como la he descrito, la Sombra de Dios.

David pinta una descripción en el Salmo 23:

*El SEÑOR es mi pastor, nada me falta;
en verdes pastos me hace descansar.*

Junto a tranquilas aguas me conduce;
   me infunde nuevas fuerzas.
Me guía por sendas de justicia
   por amor a su nombre.
Aun si voy por valles tenebrosos,
   no temo peligro alguno
porque TÚ ESTÁS A MI LADO;
   tu vara de pastor me reconforta.

En ese día, hace varios años, Dios no me había abandonado. Al reflexionar, puedo ver Su provisión increíble. En el valle tenebroso, me dio un lugar tranquilo para acostarme con Su presencia. Su Palabra y Espíritu me guiaron fuera del valle oscuro a un mejor lugar. Su fidelidad en ese momento es todo lo que necesito ahora para recordarme que en cualquier tiempo de valle, sigue dando testimonio de Su amor.

 ¿Cómo sería el Cuadro de Mentira/Verdad de Sherry?

RECONOCER la mentira (en tus propias palabras)	REEMPLAZAR la mentira con la verdad (en tus propias palabras)	RECORDAR la verdad (referencia bíblica)

Satanás aprovecha cuando ya estamos débiles o desanimadas

Como te puedes imaginar, a Satanás le gusta aprovechar los momentos cuando ya estamos débiles. Agrega sus insultos a las heridas. Nos bombardea con las mentiras que son más fáciles de creer cuando ya estamos desanimadas o deprimidas.

Satanás nos da excusas para no buscar ayuda. Ataca las inseguridades, nos aísla de la familia, los amigos, y la iglesia. Subestima nuestro valor personal, y distorsiona la verdad que antes creíamos. **Y la mentira seductora que Satanás utiliza cuando estamos débiles: Esa verdad aplica a todas, excepto a mí.**

Sin embargo, podemos equiparnos con las herramientas para proclamar y aceptar la verdad en los días oscuros del alma.

> *¿Por qué voy a inquietarme?*
> *¿Por qué me voy a angustiar?*
> *En Dios pondré mi esperanza*
> *y todavía lo alabaré.*
> *¡Él es mi Salvador y mi Dios!*
> *Me siento sumamente angustiado;*
> *por eso, mi Dios, pienso en ti*
> *desde la tierra del Jordán,*
> *desde las alturas del Hermón, desde el monte Mizar.*
> *Un abismo llama a otro abismo*
> *en el rugir de tus cascadas;*
> *todas tus ondas y tus olas*
> *se han precipitado sobre mí.*
> *Ésta es la oración al Dios de mi vida:*
> *que de día el Señor mande su amor,*
> *y de noche su canto me acompañe.* (Sal. 42:5-8)

Reconocer la voz de Dios

Elías reconoció la voz de Dios en un susurro (1 Re. 19:12-13). Las ovejas reconocieron y siguieron la voz del Buen Pastor (Jn. 10:2-5). Se trata de conocer a Dios y no sólo saber de Él, para de verdad conocer Su voz en medio de los tiempos difíciles.

Mientras más tiempo pasamos en la Palabra, más llegamos a conocer Sus palabras y se nos hace más fácil discernir Sus palabras de verdad entre todas las mentiras que nos bombardean.

Mi hermana y mi cuñado estaban acampando en las montañas donde no había cobertura de celular. Pero la otra compañera de la casa necesitaba hablar con ellos, para pedirles permiso para traer a la casa un perrito, que ella quería adoptar.

"¡Michelle! ¡No consigo a Kim ni a Paxton y quiero traer este perrito a casa!" Shannon describió el perrito, y luego comenzó sus miles de preguntas. "Necesito saber qué crees que me dirían. No quiero adoptar el perrito y tenerlo en la casa sin su permiso, pero no hay manera de que esté disponible mañana este perrito. Y sólo vamos a estar como dos semanas más en su casa porque luego regreso a otro estado para mi boda… ¿qué hago?"

Consideré la situación de Shannon y le respondí, "No me gusta hablar por ellos, pero entiendo que de verdad quieres ese perrito y que quieres al menos consultar con alguien que les conoce bien." Seguí con unos puntos que pensé que harían mi hermana y mi cuñado, para que ella los tomara en cuenta, por ejemplo cómo responderían sus propios perros.

Shannon me dio las gracias y decidió tratar de llamarles una vez más, pero ya había tomado la decisión de adoptar el perrito…

Unas horas después, me encontré con Shannon y su prometido en la casa para presentar a los perros de mi hermana y mi cuñado al perrito nuevo. Después de las introducciones de los perros, Shannon me miró sorprendida.

"Se me olvidó decirte. Conseguí a tu hermana, Kim, por teléfono y le pude preguntar sobre el perrito. Ella mencionó cada uno de los puntos que tú dijiste que ella haría. Hasta unas cosas que ella dijo fueron exactamente como tú las dijiste también."

Le sonreí y respondí, "Pues, nos conocemos un poco." Hermanas, viviendo en la misma casa, conversando, pasando tiempo juntas... No quería hablar por ella, pero tuve la confianza de que la podía representar de la mejor manera que pude porque la conocía y conocía su voz.

¡Espero que lleguemos a conocer la voz de Dios con tanta intimidad!

Las mentiras de Satanás gritan en ataque. La voz de Dios es un susurro suave de consuelo y esperanza en medio de la tormenta. Cuando escuchamos la voz de Dios y estamos atentas a Sus palabras de verdad, se calla el clamor de las mentiras de Satanás. Y damos a Dios la última palabra.

 Haz una lista de tres maneras en las cuales podemos llegar a conocer la voz de Dios más íntimamente. Pon una estrella en la que más necesitas trabajar.

Una batalla por todos lados

Cuando estamos en medio de la batalla, es vital escuchar y seguir la voz del Comandante. Es la única manera en la que podemos darle la última palabra en todas las áreas en las cuales Satanás ataca.

Satanás batalla en todo aspecto de nuestras vidas: mental, emocional, físico, y espiritual.

Cuando estamos desanimadas, nuestros problemas pueden opacar la presencia de Dios. Sin embargo, cuando estamos íntimamente conectadas con Él, Su presencia brilla para eclipsar la oscuridad.

 ¿Por qué es importante dejar que la presencia de Dios eclipse la oscuridad?

El desánimo y la depresión son como sombras oscuras, un peso del que cuesta salir, y que amenaza con abrumarnos. Invade todo aspecto de nuestras vidas: físico, mental, emocional, y espiritual. ¿Entonces, por qué Satanás no querría interponer su lengua mentirosa en cada una de esas áreas?

Los ataques físicos de Satanás pueden estar relacionados con la imagen personal, la salud, el peso, una pérdida de posesiones…

Los ataques mentales toman la forma de dudas sobre el valor personal, el pensar confuso, una memoria confundida, u olvidarse de la provisión de Dios en el pasado.

Los ataques emocionales: inseguridades que vuelven del pasado, temores o preocupaciones nuevas, y ataques sobre los seres queridos que nos afectan emocionalmente también.

Y no importa qué otro tipo de ataque Satanás utiliza, todos se convierten en un tipo de **ataque espiritual**, por la manera en la que afectan nuestra relación con Dios. Los ataques nos pueden desanimar a creer la verdad encontrada en Su Palabra, que corta los ataques mentirosos, dando a Dios la última palabra. Satanás trata de debilitar nuestra fe, apagar nuestra esperanza, y distanciarnos del amor de Dios. ¡Definitivamente estamos en una batalla espiritual (Ef. 6:10-18)!

Escoge una de las áreas en las cuales Satanás actualmente está tratando de atacarte personalmente con sus mentiras. Ponla en el Cuadro de Mentira/Verdad abajo (física, mental, emocional, o espiritual). No se te olvide reemplazar la mentira con la verdad y recordar la verdad a través de un versículo bíblico.

RECONOCER la mentira (en tus propias palabras)	REEMPLAZAR la mentira con la verdad (en tus propias palabras)	RECORDAR la verdad (referencia bíblica)
Ataque/mentira física		
Ataque/mentira mental		
Ataque/mentira emocional		

RECONOCER	REEMPLAZAR	RECORDAR
Ataque/mentira espiritual		

Cada una de estas mentiras se intensifica cuando ya nos sentimos desanimadas en otro aspecto de la vida. Cuando enfrentamos la depresión, la mente nublada y el pensar negativo son síntomas clásicos que Satanás aprovecha.

Revelar la mentira cuando parece ser la verdad

La verdad siempre es la verdad aún cuando haya dudas. ¿Cambian los objetos en un cuarto cuando se apaga la luz? ¡No! Y recordamos su forma cuando prendemos la luz.

Es como cuando te golpeas el dedo pequeño del pie en la noche. La cama no se movió de repente. Tampoco fue la intención del par de zapatos tropezarte en camino al baño. Bajo la oscuridad y el aturdimiento del sueño, nada está claro, y pensamos que todo actúa con maldad.

Un niño, temeroso de la oscuridad, se imagina miles de cosas feas escondidas en las sombras. Pero su confianza en sus padres permite que ellos tengan la última palabra, en vez de sus temores. El niño permite que ellos le muestren la verdad de lo que está escondido en la sombra, y esa verdad le permite descansar, tranquilo en la esperanza de su protección amorosa.

Dios es luz y en Él no hay ninguna tiniebla, ni una sombra (1 Jn. 1:5). Tampoco cambia como las sombras que se mueven

(Sant. 1:17). Por lo tanto, podemos confiar en Su naturaleza establecida y Su luz para cortar la oscuridad, revelar la verdad, y disipar la mentira.

El evangelio de Juan habla más que los demás libros del evangelio, sobre la naturaleza de la verdad y Cristo como la personificación de esa verdad. En 1 Juan, el autor aclara esas verdades como vida, luz, amor, y fe para los hijos queridos de Dios.

 Lee Juan 8:12 y Juan 14:6. ¿Cómo te anima saber que Jesús es luz y verdad cuando estás desanimada?

Animándose los unos a los otros

Dios y Su verdad son nuestras mejores fuentes de ánimo, pero, tal como vimos en el capítulo 8, también nos ha dado Su iglesia como instrumento por el cual podemos ser animadas y animar a otras. ¡Y no se te olvide la bendición del ánimo de nuestras Hermanas Rosa de Hierro!

Desanimar: falta de ánimo o coraje

Aminar: llenar de ánimo o coraje

 ¿Cómo puede otra persona llenarte con ánimo y coraje?

Haz una lista de cinco maneras concretas y específicas que puedes usar para animar a otra (puedes referirte a las maneras en las que Dios animó a Elías, como vimos al principio del capítulo).

Pon una estrella al lado de una idea que puedes poner en práctica esta misma semana.

Me imagino que mencionaste estas dos de las mejores maneras de animar a otra que está pasando por un tiempo difícil: la oración y las Escrituras. En adición a la idea en la que pusiste una estrella arriba, te animo a mandar una nota o una carta a alguien haciéndola saber que ella y su familia están en tus oraciones. Incluye un versículo bíblico en tu nota.

Tenemos una elección cuando estamos desanimadas. Podemos disfrutar lamentándonos de nosotras mismas, o podemos tomar un tiempo para contar las bendiciones, y buscar palabras llenas de esperanza. Tal como pude hablar de parte de mi hermana, Kim, como conocía su voz, podemos representar la voz de Dios que habla la verdad en las vidas de otros, porque le conocemos y hemos oído Sus palabras.

"Que el Dios de la esperanza los llene de toda alegría y paz a ustedes que creen en él, para que rebosen de esperanza por el poder del Espíritu Santo" (Rom. 15:13).

Haz una lista de siete bendiciones de la semana pasada, o cosas por las cuales estás agradecida. (Puedes hacer una lista sencilla o elaborada. Por ejemplo, el "agua" siempre está entre las primeras cosas en mi lista.)

No eres la única

Cuando estamos desanimadas o deprimidas, se nos hace fácil perder la esperanza, especialmente si el pecado es parte de la causa. **La depresión no es un pecado, pero puede ser causada por el pecado,** como en el ejemplo de David. Se deprimió después de la culpa que sintió por el adulterio (1 Sam. 11-12). **O la depresión nos puede llevar a una batalla espiritual,** tal como se vio con Ana cuando lloró a Dios año tras año, pidiendo un hijo. El profeta Elí pensó que estaba borracha (1 Sam. 1).

La amargura de alma de Noemí le dio ganas de ser llamada Mara (que significa amargada) en vez de Noemí, después de perder al esposo y los dos hijos (Rut 1). Definitivamente se encontró en una batalla espiritual en los días oscuros del alma, como si ella hubiera perdido toda esperanza.[14]

---

[14] Una lista suplementaria de ejemplos bíblicos que enfrentaron la depresión y algunas respuestas bíblicas a la depresión y el desánimo se encuentran con otros recursos en el Apéndice C, pg. 269.

¿Qué tal el mismo Cristo? Lee Lucas 22:39-46. ¿Qué evidencia tenemos del desánimo abrumador que sintió Cristo?

 Enumera dos cosas que hizo Jesús para combatir Su desánimo en Lucas 22.

La oración y la adoración

"Al sentir que se me iba la vida,

   me acordé del Señor,

y mi oración llegó hasta ti,

   hasta tu santo templo" (Jon. 2:7).

La oración y la adoración son importantes para recordar la verdad en todo momento, pero especialmente cuando estamos desanimadas. A veces nos sentimos que estamos nada más actuando, sin hacerlo de corazón. **Pero la oración y la adoración son instrumentos poderosos de esperanza que transforman nuestra perspectiva de la oscuridad a la luz, de una falta de ánimo, a animadas, todo a través de recordar la verdad.** La oración y la adoración dan a Dios la última palabra en vez de los pensamientos que dan vueltas en nuestras mentes.

 ¿Qué papel han jugado la oración y la adoración en tu vida? Es un buen momento para contar una historia de cómo te han levantado el ánimo o te han llenado de esperanza cuando te sentías desanimada.

La oración y la adoración me ayudan a enfocarme en la presencia de Dios en vez de en la presencia de mis problemas.

Palabras de esperanza: Dios es fiel

Al cerrar este capítulo, permíteme compartir algunas porciones de mi diario de oraciones durante un tiempo en el que pasé por la depresión más intensa que jamás he vivido, causada por un evento traumático (la rotura del compromiso con mi prometido), junto con la decisión de iniciar el Ministerio Hermana Rosa de Hierro (MHRH). No hallaba el norte para encaminar mis pasos. Y aunque sentí la afirmación de Dios por la visión clara que me había dado para iniciar el MHRH, las inseguridades sobre mi futuro me abrumaron y eclipsaron la confianza que tenía en Dios. **La depresión hizo que fuera más difícil recordar la verdad.** Pero me aferré a las Escrituras y Dios proveyó a Hermanas Rosa de Hierro y a mi familia para recordarme la verdad.

En las porciones abajo, vas a notar mi lucha entre la mentira y la verdad. Me asombró volver a leer lo que escribí en ese tiempo y reflexionar sobre la luz de Dios que me dio esperanza, y mi anhelo de darle la última palabra en medio de mi dolor y mi confusión.

En vista de la decisión inicial de tomar el gran paso de fe para iniciar el MHRH, estaba "100% emocionada y 100% aterrorizada." Perdí la cuenta de las veces que mencioné mi temor en mis oraciones, pero también había momentos cuando escribí cosas como, "Confío en Ti para suplir todas mis necesidades según Tus riquezas gloriosas en Cristo Jesús" (tomado de Fil. 4:19).

"Me encuentro en una montaña rusa emocional y quiero bajarme. Leo las Escrituras y me recuerdan de Tu soberanía y provisión, pero la realidad me da una cachetada al mismo tiempo."

~~~~~

"No estoy manejando el estrés muy bien y temo que va a empeorar antes de que mejore. Se siente como un ciclo vicioso que nunca cesa, que nada nunca sale bien, y que estoy echando todo a perder. No hay bendición que no viene con estrés adicional.

No lo puedo hacer. Hasta mis esfuerzos para pedir ayuda me salen mal o me dan más frustración, tristeza, o estrés.

Te lo entrego todo, más de lo que puedo escribir en esta hoja. Es todo Tuyo.

Dame sabiduría por favor (Sant. 1:5) y fuerza, y guía mis pasos. También, devuélveme mi salud, por favor."

~~~~~

"Me imagino que te deleites en el hecho de que admito que no lo puedo hacer yo, porque implica que Tú puedes entrar para salvar el día y llevarte toda la gloria. ¡Dale! Porque yo no puedo."

~~~~~

"Estoy tan abrumada, exhausta, enojada, emocional, y muchas otras cosas. Anoche, ni pude verbalizar mis oraciones. Ni siquiera pude escribir: Fuego del refinador. Rescatador, pero ¿cuándo?

~~~~~

"Ayúdame a saber por dónde empezar y seguir adelante. Un paso a la vez, un día a la vez, ¿verdad? Cada día tiene su propio afán..." (Mt. 6:34).

Las verdades de las Escrituras atesoradas en mi corazón volvieron a mí y me fortalecieron aunque, en el momento, no noté el libro, capítulo, y versículo. ¿Te das cuenta de cómo Satanás trató de aprovechar e intensificar mis dudas e inseguridades cuando ya estaba desanimada?

Inspirada por las porciones de mi diario de oraciones, usa el Cuadro de Mentira/Verdad abajo para reconocer una mentira, reemplazarla con la vedad, y recordar la verdad, dando a Dios la última palabra cuando te sientes desanimada.

RECONOCER la mentira (en tus propias palabras)	REEMPLAZAR la mentira con la verdad (en tus propias palabras)	RECORDAR la verdad (referencia bíblica)

No se te olvide guardar un tiempo para compartir en oración sobre los Elementos Comunes con tus Hermanas Rosa de Hierro. Deben alabar a Dios por cómo está trabajando en sus vidas para reconocer las mentiras, reemplazarlas con la verdad, y recordar la verdad, llenándonos de esperanza.

Elementos Comunes:

 Una manera en la que quieras crecer o florecer, abundando en fe, esperanza, y amor a través de la verdad.

Una espina (o mentira) que desees eliminar y reemplazar con la verdad.

_____

_____

Un elemento que quieras profundizar o un área en la que necesitas a alguien como afiladora en tu vida (ayuda para reconocer una mentira o recordar la verdad).

_____

_____

Un versículo que habla directamente a una mentira mencionada en este capítulo.

_____

_____

Es una buena semana para hacer referencia al Cuadro de Mentira/Verdad (pp. 295) al final del libro que puedes usar como referencia cuando te sientes desanimada, cuando Satanás ataca, o cuando amenazan las mentiras. Así podemos siempre llenarnos de esperanza y recordar dar a Dios la última palabra.

CAPÍTULO 10

Mentira: Dios me está castigando por mi pasado

La consciencia es tu propio criterio de lo bueno o malo de nuestras acciones, así que nunca podemos confiar en ella al menos que sea guiada por la Palabra de Dios. – Tryon Edwards

No esperes que Dios cubra lo que no estás dispuesto a revelar. – Duncan Campbell

"Mi hijo tenía diabetes y se murió de complicaciones de la enfermedad, porque Dios me estaba castigando por haberme casado con un no-cristiano... He tomado tantas decisiones malas en mi vida que no hay manera en que Dios quiera escuchar de mí. Me siento que no puedo hablar con Él porque sé que no me va a escuchar."

No fue una frase que esperaba escuchar de una mujer de setenta y dos años, y una que llevaba años como cristiana. Ella estaba dejando a Satanás tener la última palabra.

Humillada por la situación que se me presentó, le di gracias a Dios por la oportunidad de hablar palabras verdaderas y liberadoras en la vida de esta hermana. Llevaba toda su vida atrapada por las mentiras de Satanás, cargada de culpa.

Comencé, "Tienes tres hijos grandes, ¿verdad?" Un brillo amoroso llenó sus ojos y respondió al afirmativo.

"Y hasta el día de hoy, cuando le pasa algo a uno de tus hijos, o hace algo malo, ¿quieres que te eviten o que acudan a ti para que les puedes consolar, aconsejar, y mostrarles amor?"

"¡Pues, claro que quiero que vengan a mí!"

"¿Y tú crees que es distinto para nuestro Padre celestial que nos ama, cuando uno de sus hijos hace algo malo? ¿No crees que Él anhele consolarnos, aconsejarnos, y abrumarnos con Su gran amor?"

"Nunca lo he pensado de esa forma…"

El siguiente domingo, al saludar a mi amiga, su cara estaba llena de paz y parecía que se había quitado 50 kilos de encima (¡y es una mujer chiquita!). El gozo que resplandeció de la libertad encontrada fue indescriptible. **Ella había aceptado la verdad del amor abundante de Dios, dando a Él la última palabra en su vida.**

La trampa de la culpa

Satanás nos quiere robar la vida abundante que ofrece Cristo (Jn. 10:10), pero hay esperanza para la redención, la libertad, el perdón, y hasta una consciencia limpia. La vergüenza y la culpa no tienen que definir nuestras vidas y nuestras relaciones.

Satanás crea un filtro negativo por el que vemos nuestras acciones y decisiones. Nos enfocamos en nuestro pecado y la falta de valor, en vez de la gracia y el perdón que ofrece Dios.

Aun si hemos aceptado el perdón de Dios intelectualmente, puede ser que nos cueste perdonarnos a nosotras mismas, especialmente a nivel emocional. **La vergüenza que sentimos de los pecados pasados opaca el poder transformador y limpiador de la gracia de Dios.**

El perdón de Dios es verdadero y redentor. Cuando nos compra de nuevo, es un nuevo comienzo, desde cero.

Vengan, pongamos las cosas en claro
—dice el Señor —.
¿Son sus pecados como escarlata?
¡Quedarán blancos como la nieve!
¿Son rojos como la púrpura?
¡Quedarán como la lana! (Is. 1:18)

¿Cómo se refiere Dios a Israel en Jeremías 31:4, 21-22?

 ¿Qué significa que Dios describe a Israel como virgen?

En el Antiguo Testamento, Dios compara Su relación con Israel con un matrimonio, Israel como la esposa infiel. Pide a Oseas casarse con Gomer, una mujer adúltera, como paralelo a la relación adúltera de Israel con Dios (Os. 3:1-3). Otros profetas le recuerdan a Israel la fidelidad de Dios a pesar de su infidelidad.

A pesar de todo eso, en las palabras proféticas de Jeremías, Dios invita a Israel a un nivel de redención que le permite comenzar totalmente de nuevo. "Virgen Israel" ofrece más que sólo el perdón.

La redención significa comprar de nuevo, pero la referencia a "Virgen Israel" se trata de traer de nuevo a la condición antes de cualquier infidelidad. ¿Se puede reclamar la virginidad y la inocencia? En los ojos de Dios, y según Su invitación, ¡sí!

Pero Su redención no es una invitación a seguir pecando para que abunde Su gracia (Rom. 6:1). Si recibimos lo que merecemos, la única opción es la muerte (Rom. 6:23).

El perdón total de Dios

Después de la traición de una amiga, se pierde la confianza; la relación tiene una base inestable y cuesta tomar los pasos necesarios, para reparar lo roto. Como seres humanos imperfectos y que fallamos, reconocemos que las cosas nunca van a ser como eran antes. Sea rota o fortalecida, la relación nunca queda igual. Uno no puede arreglar con pega un vaso roto y restaurar su belleza original sin imperfección.

¡Pero Dios sí! **Nuestra relación con Dios puede ser restaurada a su belleza original sin imperfección ninguna.**

Y esa frase va más allá de nuestra comprensión. Es tan sencilla y tan compleja como la explicación de Jesús a Nicodemo sobre el nacer de nuevo en Juan 3.

La culpa y la vergüenza nos impiden a aceptar la bendición generosa de Dios: la redención total y sin comparación, a través del arrepentimiento y la obediencia. Satanás usa cualquier herramienta en su arsenal para que no entendamos o no aceptemos el don de Dios de perdón completo.

Israel luchó con aceptar esta verdad también, una confusión comprensible cuando vemos ciertos ejemplos en el Antiguo Testamento. Bajo el viejo pacto, a veces Dios castigó a los culpables de inmediato. Temblamos de temor al escuchar historias como la de Uza, al que Dios hirió de muerte ahí mismo después de tocar el arca del pacto cuando se tropezaron los bueyes (2 Sam. 6:6-7). El fuego consumió los hijos de Aaron, Nadab y Abiú, después de ofrecer al Señor un incienso no autorizado (Lev. 10:1-2).

¿El mismo Dios nos castiga? Si es que sí, merezco un golpe de relámpago. O sé hacia donde podría mandar otro castigo. Sólo avísame para salir del camino.

Dios ya no nos manda relámpagos de castigo. Sin embargo, tiene mérito enseñar el temor a Dios y Su castigo cuando le desobedecemos. El propósito del castigo después de la desobediencia es el de resaltar la fealdad del pecado y cómo el pecado nos separa de Dios. **Gracias a Dios, Él no mandó a Su Hijo para condenar al mundo, sino para salvarlo, para quienes creen en Su Hijo, vivan en obediencia, comenzando con el arrepentimiento, la confesión, y el bautismo** (Jn. 3:16-18, 14:23; Hch. 2:38; Rom. 10:9-13).

Considerando la confusión que existe sobre las formas de castigo de Dios, y si los que estamos en Cristo estamos sujetos a ellos, vamos a contestar algunas preguntas en este capítulo. De esta forma invitamos a Dios a tener la última palabra, usando la verdad de Su Palabra.

> ➤ ¿Puede el perdón de Dios perdonar mi castigo?
> ➤ ¿La gracia de Dios puede limpiar la culpa y la vergüenza de mis malas decisiones?
> ➤ ¿La redención de Dios puede borrar las consecuencias de mi pecado?

Antes de seguir, permíteme aclarar que el propósito original de la Ley y del castigo del pecado era el de recordarnos la santidad de Dios y acercarnos más a Él a través del arrepentimiento y la obediencia.

 ¿Qué confusión tienes o has oído sobre el castigo de Dios y las consecuencias de nuestros pecados?

El castigo doloroso de mi pasado... O así pensé: La historia de Maryellen

Después de vestirse de Cristo en el bautismo, Maryellen luchó con la mentira directa de que Dios le estaba castigando por su pasado. Vamos a leer su historia en sus propias palabras.

Crecí en una familia muy disfuncional con un padre alcohólico y una madre súper-controladora. Entré en un ciclo de comportamiento durante la adolescencia, tratando de encontrar el amor de los varones. Permití que ellos me coaccionaran para la relación física porque pensé que era su manera de mostrarme su amor. En ese tiempo, no entendía que el único amor perfecto es el de nuestro Padre celestial.

Fui fiel a cada hombre cuando estuve con él, pero tuve un novio que no me fue fiel. Lo descubrí cuando fui a mi examen anual. La doctora me informó que tenía una enfermedad transmitida sexualmente. Afortunadamente, tenía remedio.

Después de que pasó eso, me mudé a vivir con unos miembros de mi familia. Y fue cuando conocí a Cristo. Me bauticé a los 23 años, pero mis acciones pasadas no habían cambiado. Seguí tratando de encontrar mi identidad en los hombres, no en Cristo. Hice la terapia para hijos adultos de los alcohólicos y me di cuenta del patrón no saludable.

Conocí a un hombre cristiano que era muy distinto a los otros varones que había conocido antes. Comenzamos a salir y luego de un año y medio, nos casamos. Antes de conocerlo, jamás pensé en tener hijos. Mi nuevo pensamiento fue, "Si pudiera tener hijos con este hombre. Él sería muy buen padre." Dejé de tomar las pastillas anti-conceptivas y luego de un año, todavía no estaba embarazada. Hablé con mi doctora y me dijo que tenía que relajarme.

Pasó otro año y seguí sin embarazo. Ya comencé a frustrarme más y me pregunté, "¿Será que Dios me está castigando por mi pasado? Pensé que Dios nos perdona y que ya no se acuerda de nuestros pecados. Tan lejos del este al oeste... Pensé que cuando me bauticé se borraron TODOS mis pecados." Pero pasó otro año.

Trasladaron a mi esposo a otra oficina y el compañero tenía una esposa que también tenía problemas de fertilidad. Ella llevaba trece años con su problema. Visitó a un médico en Houston, Texas, que le hizo una operación que le ayudó a concebir. Eso le pasó después de cuatro operaciones con otros médicos, así que creí que Dios había puesto a ese hombre en la vida de mi esposo para guiarnos a ese nuevo doctor.

No vivíamos en Houston, así que tuvimos que viajar a esa ciudad para visitarlo. Me operaron y la operación pareció un éxito, dándonos esperanza. Decidí buscar un médico local para seguir el tratamiento.

Seguí desanimada, pero Dios me dio esperanza un domingo. Al tomar la Santa Cena, abrí mi Biblia en Isaías 54:1. "Tú, mujer estéril que nunca has dado a luz, ¡grita de alegría! Tú, que nunca tuviste dolores de parto,

¡prorrumpe en canciones y grita con júbilo!..." Sentí que Dios me estaba hablando directamente y que iba a contestar mi oración.

Esperé a Dios por meses. Le cuestioné y pensé que quizás sólo me imaginaba Su respuesta a nuestras oraciones. ¿Me estaba castigando por mis pecados pasados? ¿Me perdonaba de verdad? No fue tanto como esperó Sara, pero seis meses son una eternidad para alguien que quiere salir embarazada. Pasaron cuatro años y medio desde que dejé de tomar las pastillas anti-conceptivas. Perdí la esperanza de que fuera a tener hijos. Pero el tiempo de Dios es perfecto. ¡Salí embarazada!

Ahora tenemos dos hijos bellísimos que estamos criando en el Señor.

Las verdades que llegué a conocer son:

Dios no nos castiga por nuestros pecados cuando ya hemos sido perdonados, pero a veces tenemos que vivir las consecuencias de nuestras acciones. *La enfermedad que me dio el ex-novio posiblemente causó algún daño a mis órganos reproductivos. Pero Dios usó a los doctores para ayudarme a salir embarazada.*

Los pecados de mi pasado no me definen, Dios me define.

La sangre de Cristo me hace limpia todos los días.

*Los médicos nunca supieron la razón por la cual no podía salir embarazada. Pero yo sé que **Dios sabía los deseos de mi corazón y que me tenía un plan.** Jeremías 29:11.*

Maryellen no dejó que Satanás ni los doctores tuvieran la última palabra. Confió en la esperanza abundante que sólo viene de Dios, sin importar el resultado.

Sadrac, Mesac y Abednego le respondieron a Nabucodonosor: —¡No hace falta que nos defendamos ante Su Majestad! Si se nos arroja al horno en llamas, el Dios al que servimos puede librarnos del horno y de las manos de Su Majestad. Pero aun si nuestro Dios no lo hace así, sepa usted que no honraremos a sus dioses ni adoraremos a su estatua. (Dan. 3:16-18)

 ¿Qué otra verdad quieres afirmar para Maryellen o para ti misma?

¿Castigo de Dios, de Satanás, de una misma, o de otros?

Satanás quiere que permitamos que el castigo o las consecuencias del pecado nos separen eternamente del amor de Dios, enfocándonos en el dolor y la tristeza. Él quiere que pasemos de "hizo algo malo" a "soy una persona mala." Y nos quiere convencer de que debemos recibir un castigo continuo aquí en la tierra por el mal que hemos hecho, aún después de ser perdonadas y tratar de "caminar en la luz como [Dios] es en la luz" (1 Jn. 1:7).

Es posible que otros traten de hacerme sentir culpable o castigarme por mi comportamiento, pero nadie puede cargarme de culpa, si ya he sido liberada en Cristo. Como consecuencia, es posible que la otra persona no me perdone, pero puedo descansar en la verdad de que Dios ya me ha perdonado y me ha liberado de ese castigo.

¡No podemos permitir que Satanás logre lo que quiere! Tenemos la elección de dar a Dios la última palabra. ¿Te acuerdas de Pedro? Traicionó a Jesús, pero su identidad no fue la de un traidor. Entendiendo la gravedad de su pecado, se arrepintió, aceptó el perdón de Dios, y se convirtió en un portavoz de Dios en los días primitivos de la iglesia (Hch. 2, 4:20, 10).

Si damos a Satanás la última palabra, otra mentira que va a la par con la de que Dios me está castigando por mi pecado, es la de que "tengo que castigarme a mí misma, aún después de ser perdonada."

El auto-castigo viene de muchas formas: el hablar negativamente a uno mismo, herirse, como cortarse, por ejemplo. Herirse puede indicar un sentido de culpa o dolor no expresado. Es más común de lo que era antes y es una manifestación del dolor emocional, el deseo por control, o la falta de capacidad de expresar las emociones negativas. Estos pensamientos (mentiras de Satanás) eclipsan lo que cree uno sobre el perdón. Sin embargo, la mentira de "una vida condenada a vivir siempre con dolor" se puede superar con la abundancia de esperanza que viene de la verdad de las promesas de Dios, promesas de misericordia, perdón, y libertad.

La auto-mutilación en su forma física (ej. cortarse, quemarse, tomar líquidos dañinos como el cloro) se presenta más en los adolecentes o adultos jóvenes, y en más mujeres que hombres. Si te heriste cuando adolescente, o luchas con estas tendencias ahora, físicamente, mentalmente, o emocionalmente, hay esperanza.

Para quienes no conocen esta estrategia de Satanás, quiero compartir una verdad que descubrió una amiga mía cuando se estaba cortando y luchó con esta mentira específica: "Aún si Dios me ha perdonado, no hay manera de perdonarme a mí misma."

"Cuando primero comencé a cortarme, y lo descubrió un amigo, me escribió una nota animándome a parar o a buscar ayuda. Llevo tiempo sin tener la necesidad de volver a leerla. La parte más importante de su nota fue que incluyó el siguiente versículo: "Él fue traspasado por nuestras rebeliones, y molido por nuestras iniquidades;" (Is. 53:5). Me recordó que no importa la culpa, la vergüenza, o la falta de valor que

sentí y que me impulsó a herirme. Jesús ya fue herido de mi parte, y derramó Su sangre por esos pecados y esa culpa. ¡Qué bendición! Me impactó esa verdad y la he llevado conmigo todos estos años."

La culpa es un factor principal en el herirse o en el auto-castigo. Y Satanás, por supuesto, anhela tener la última palabra y robar nuestra esperanza.

La culpa, el castigo, y la consecuencia redefinidos

La culpa, el castigo, y la consecuencia se relacionan en su significado, pero son conceptos distintos que Satanás trata de distorsionar en nuestro entendimiento para que sigamos con la carga de sus mentiras.

Al contario, la verdad de Dios sobre estos términos nos permite reconocer la mentira, reemplazarla con la verdad, y recordar la verdad, abundando en la esperanza que Satanás trata de robar.

¿Cómo se definen estos conceptos?

La culpa

El castigo

La consecuencia

Mi resumen breve de los tres, con una explicación adicional de la vergüenza se encuentra abajo:

La culpa viene del individuo, pero puede ser perdonado. La **vergüenza** es la emoción que acompaña la culpa, verdadera o percibida. Puede ser influenciada por factores externos (buenos o malos) para hacer que una se sienta obligada a portarse de una forma u otra. Dios nos permite sentir la vergüenza para que llevarnos al arrepentimiento. Pero Satanás quiere que dejemos que la vergüenza y la culpa nos definan, olvidando la invitación de Dios a ser transformadas.

El castigo puede venir de uno mismo o de otros, como por la sentencia después del juicio en la corte. Es un resultado de la culpa, pero también puede ser levantado o quitado. **Las consecuencias** vienen como resultado natural de la misma situación. No las podemos evitar: causa y efecto.

Satanás nos quiere convencer de que las consecuencias que vienen de nuestras acciones o las decisiones de otros son igual al castigo de Dios (tal como pensó Maryellen en su historia). Pero no es verdad. Las consecuencias y el castigo son distintos.

Dios tiene el poder para limpiar nuestra consciencia y quitar el sentido de vergüenza. Nos puede lavar de toda culpa y librarnos del peso de pecado. Cristo nos rescata del castigo y nos libera de la esclavitud. Lamentablemente, no podemos escaparnos de las consecuencias naturales de nuestras decisiones.

 ¿Cuándo y cómo recibimos el perdón y la limpieza? (¡No se te olvide citar la Biblia!)

La culpa, el castigo, y la consecuencia ilustrados

Permítame una ilustración para definir los términos antes de examinar otros versículos bíblicos, y aclarar los conceptos.

Tengo dos amigas. Vamos a llamarlas María y Susana. Les encanta chismear con una taza de café en la mano y creen la mentira: "Sólo son palabras que nunca hieren a nadie." Una mañana, Susana se encontró con una vecina, Esperanza. Y antes de que le pudiera compartir el último chisme que escuchó de María, Esperanza le invitó a un estudio bíblico en su casa.

"Está bien," pensó Susana, preparada con la noticia que quería compartir. "Voy a asistir al estudio y lo puedo compartir como una petición de oración" (otra mentira engañosa). Sentada al otro lado de la sala estaba el objeto de su chisme, llorosa sobre su situación actual. Susana se sintió compungida. Antes de que abrieran la Biblia o hicieran una oración, la verdad de Dios sobre las consecuencias de su chisme le había sido revelada.

Después de que Esperanza concluyó el estudio de la mañana, Susana le acercó y le pidió disculpas por las palabras que había hablado en el pasado de Esperanza y de otras. Susana se comprometió, desde ese momento, a romper el ciclo de chisme, aún cuando María no estaba dispuesta.

La relación entre María y Susana se rompió a causa del entendimiento que esta última tuvo sobre las mentiras en las que había caído. Además puso su relación con Dios como más importante que la relación con su amiga. María consiguió a otras con las cuales pudo chismear, y aunque Susana se sintió triste por la pérdida de la amistad, estaba determinada a vivir perdonada y arrepentida. Hasta tuvo nueva esperanza de recuperar las relaciones con las personas que antes fueron objeto de su chisme.

Usando la historia que les acabo de contar…

¿Quién(es) es(son) culpable(s) del pecado?

¿Quién(es) merece(n) el castigo?

¿Quién fue liberada de la culpa y el castigo por su arrepentimiento y por la gracia y el perdón de Dios?

¿Quién siguió con culpa y recibirá el castigo al menos que se acerque a Cristo algún día, arrepentida y pidiendo el perdón de Dios?

Haz una lista de todos los que sufrieron las consecuencias del pecado. (*Fíjate que a veces sufrimos las consecuencias de los pecados de otros aunque no compartimos la culpa ni el castigo.*)

Cuando te reúnes con tus Hermanas Rosa de Hierro en el contexto del grupo pequeño, compartan lo que piensan sobre la culpa, el castigo, y la consecuencia, especialmente en el contexto de la ilustración sobre el chisme.

La culpa, el castigo, y la consecuencia en la Biblia

Estos términos, muchas veces, se intercambian y se confunden en el hablar diario. ¿Ya entiendes como las mentiras de Satanás distorsionan la verdad de lo que Dios enseña? ¡Vamos a dar la última palabra a Dios y recordar esa verdad!

¿Qué dice Éxodo 20:4-6 sobre la culpa, el castigo, o la consecuencia?

Vamos a ver lo que dijo Dios a través del profeta Ezequiel para aclarar los conceptos de castigo, culpa, y consecuencia, especialmente en base a lo que los israelitas interpretaron de Éxodo 20.

Lee Ezequiel 18:20-32 para llenar los blancos abajo y contestar las siguientes preguntas, todo basado en estos versículos.

"Todo el que peque, merece _____, pero ningún _____ cargará con la culpa de _____, ni ningún padre con la del hijo..." (v. 20).

¿Quién tiene la culpa del pecado del padre? _____

¿Quién tiene la culpa del pecado del hijo? _____

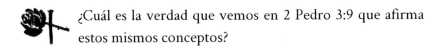 Usando los mismos versículos en Ezequiel, ¿El pecado trae una condenación inmediata y permanente de muerte? ¿Por qué sí o por qué no?

 ¿Cuál es la verdad que vemos en 2 Pedro 3:9 que afirma estos mismos conceptos?

 ¿Y cuál es la promesa en Hebreos 9:14 y 10:22?

Una vez en Cristo, ¿qué pasa cuando volvemos a pecar? ¿Somos condenados de inmediato? ¿Cómo responden los siguientes versículos a esa pregunta?

Romanos 6:1

Romanos 8:1

1 Juan 1:5-10

Traer las mentiras y el pecado a la luz

Creciendo en Luisiana, conozco muy bien a las cucarachas: las grandes que a veces vuelan. Asquerosas. Me da escalofríos nada más pensar en ellas. Pero sigue conmigo un momento más y no brinques a la próxima parte porque a ti tampoco te gustan las cucarachas.

¿Qué hace que las cucarachas u otros insectos huyan más rápido que cualquier otra cosa? ¡Luz! Ya hemos comparado la verdad a la luz varias veces en este libro. David ruega a Dios que le envíe Su luz y verdad para guiarle (Sal. 43:3). **No podemos salir de las mentiras engañosas de nuestro pasado, ni podemos reclamar la esperanza si no estamos dispuestas a exponerlas frente a la luz y la verdad de Dios.**

"No esperes que Dios cubra lo que tú no estás dispuesta a revelar."[15]

---

[15] Duncan Campbell, predicador escocés

Los secretos nos enferman. Y el pecado es el veneno más dañino de todos.

Satanás utiliza la vergüenza para dejar las cosas en la oscuridad. Pero cuando compartimos la verdad, hasta nuestras verdades feas, Satanás pierde su poder sobre nosotras. **Sus mentiras quedan expuestas y él comienza a huir porque no aguanta la luz de la verdad.** Dios es luz. Cristo es verdad. ¿Qué esperanza tiene Satanás cuando se le enfrenta a la presencia de Dios?

Vamos a volver a 1 Juan 1:9 para ver lo que dice sobre la confesión.

 ¿Y qué dice 2 Corintios 7:9-11 sobre las mentiras expuestas o los pecados pasados revelados?

Dios no tolera el pecado. Él odia las mentiras. Él anhela arrepentimiento, redención y una transformación de la vida atrapada por mentiras, a una vida abundante de fe, esperanza, y amor como Él la define.

El pasado es conocido, aún si es horrífico. Hace que no recordamos las promesas de Dios de Su provisión y la salvación. Por ser las olvidadizas que somos, perdemos la perspectiva cuando se nos presenta una nueva complicación en la vida. Terminamos regresando a cómo éramos antes. Tratamos de volver a la esclavitud, así como hicieron los israelitas en Números 14:1-4.

Así que, vamos a dejar esas mentiras en el pasado, reemplazarlas con la verdad, y recordar la verdad en este Cuadro de Mentira/Verdad abajo. Ya llené las primeras tres líneas del Cuadro, basadas en las historias y los versículos ya compartidos en este capítulo. Por favor, llena los blancos en los números 4 y 5 para reconocer, reemplazar, o recordar de maneras específicas según tus propias luchas, inspiradas por lo que hemos visto en este capítulo. Y la última línea (no. 6) está en blanco para que puedas invitar a Dios a tener la última palabra en otra mentira con la que luchas.

RECONOCER la mentira (en tus propias palabras)	REEMPLAZAR la mentira con la verdad (en tus propias palabras)	RECORDAR la verdad (referencia bíblica)
1. La mentira de Maryellen: Dios me está castigando por mi pasado.	Dios no me castiga por lo que ya perdonó, mis pecados pasados, pero puede que tenga que vivir con algunas consecuencias de mis acciones. Dios tiene un plan mayor para mí.	"Porque yo sé muy bien los planes que tengo para Uds. –afirma el Señor—, planes de bienestar y no de calamidad, a fin de darles un futuro y una esperanza." **Jer. 29:11**
2. Ya estoy tan metida en el pecado que ya no vale la pena luchar.	¡Podemos ser perdonadas, limpiadas, redimidas!	"Purifícame con hisopo, y quedaré limpio; lávame, y quedaré más blanco que la nieve." **Sal. 51:7** "Si confesamos nuestros pecados, Dios, que es fiel y justo, nos los perdonará y nos limpiará de toda maldad." **1 Jn. 1:9**

RECONOCER	REEMPLAZAR	RECORDAR
3. Estoy pagando el castigo de los malos patrones de mi familia y los voy a repetir yo también.	Puedo romper el ciclo vicioso y destructivo, y encontrar esperanza en la redención de Cristo. Soy una criatura nueva, hecha nueva y completa en Cristo.	Ez. 18:20-32 "He sido crucificado con Cristo, y ya no vivo yo sino que Cristo vive en mí. Lo que ahora vivo en el cuerpo, lo vivo por la fe en el Hijo de Dios, quien me amó y dio su vida por mí." Gal. 2:20
4. Las consecuencias naturales del pecado (el mío o el de otros) son la manera en la que Dios me castiga.		
5.		"El Señor es clemente y compasivo, lento para la ira y grande en amor. No sostiene para siempre su querella ni guarda rencor eternamente. No nos trata conforme a nuestros pecados ni nos paga según nuestras maldades. Tan grande es su amor

		por los que le temen como alto es el cielo sobre la tierra. Tan lejos de nosotros echó nuestras trans-gresiones como lejos del oriente está el occidente." Sal. 103:8-12
6.		

Nuestros errores y nuestro pasado no nos definen. En Cristo, somos una nueva creación, caminando en la vida nueva (Rom. 6:4). Lo viejo ya pasó y lo nuevo ya está (2 Cor. 5:17). ¡Podemos conocer la verdad y la verdad nos hará libres (Jn. 8:32)!

Como nueva criatura, Pedro prefiere no ser conocido por su traición. Rahab elige su identidad como la que rescató a los espías y no quien antes era prostituta. La lista sigue en Hebreos 11 al reflexionar sobre los ejemplos del "capítulo de la fe." Y Pablo tuvo tan gran deseo de dejar su pasado, que cambió su nombre de Saulo.

"Una cosa hago: olvidando lo que queda atrás y esforzándome por alcanzar lo que está delante, sigo avanzando hacia la meta para ganar el premio que Dios ofrece mediante su llamamiento celestial en Cristo Jesús" (Fil. 3:13b-14).

Espero que las historias de las Escrituras y los testimonios hoy día de las hermanas en Cristo te sirvan como **inspiración y recordatorio de la verdad de que Dios desea redimir nuestro pasado, no castigarnos por él.** ¡Vamos a darle la última palabra de esperanza y redención!

Elementos Comunes:

Una manera en la que quieras crecer o florecer, abundando en fe, esperanza, y amor a través de la verdad.

_____

_____

Una espina (o mentira) que desees eliminar y reemplazar con la verdad.

_____

_____

Un elemento que quieras profundizar o un área en la que necesitas a alguien como afiladora en tu vida (ayuda para reconocer una mentira o recordar la verdad).

_____

_____

Un versículo que habla directamente a una mentira mencionada en este capítulo.

_____

_____

CAPÍTULO 11

Mentira: No soy suficiente

Tú eres amable. Tú eres inteligente. Tú eres importante. – Aibileen Clark, *Criadas y señoras*, la película[16]

Mentirnos a nosotros mismos está más arraigado que mentir a otros. – Fyodor Dostoyevsky

Dios no requiere que cada individuo tenga la capacidad de hacer todo. – Richard Rothe (teólogo alemán luterano)

Hay una descripción de los genios dada por Albert Einstein: Pide a un pez subir un árbol, o a un elefante subir la montaña, y se va a sentir insuficientes, comparado con un mono o una cabra.

No todos tenemos los mismos talentos o capacidades. Y tampoco se espera que cumplamos el papel que juegan otros. Sin embargo, fácilmente caemos en la trampa de la comparación, junto con las mentiras sobre las expectativas poco-realistas.

---

[16] DreamWorks, 2011. *The Help.*

"¡Soy inepta y el resto del mundo lo va a descubrir!"

Moisés tartamudeó. Zaqueo era el bajito. David, el más joven. Ehud, el zurdo, y Débora, la mujer. Tomás dudó. Pedro traicionó. Elías se abrumó. Sara no tuvo hijos y María era la virgen.

Ninguno de esos individuos se sintió adecuado para la tarea a la cual Dios les llamó.

Sentirse inadecuado para la tarea

Él quería dirigir música. Pero su estilo de dirección era descontrolado. En los momentos suaves, se agachaba. Y para los pasajes más fuertes, brincaba, y hasta le gritaba a la orquesta.

Tenía mala memoria. Una vez, se le olvidó que había instruido a la orquesta a no repetir una porción de la música. Durante el concierto, cuando volvió a repetir esa porción, ellos siguieron adelante, así que paró la obra, gritando, "¡Paren! ¡No! ¡Están equivocados! ¡Otra vez! ¡Otra vez!"

Para su propio concierto de piano, trató de dirigir desde el piano. Llegó un momento en el que brincó del banco, tumbando las velas en el piano. En otro concierto, chocó con el niño del coro.

Durante una porción larga y delicada, brincó muy alto para señalar una entrada fuerte, pero no pasó nada porque había perdido la cuenta y señaló a la orquesta demasiado pronto.

Empeoró su oído y los músicos trataron de ignorar su dirección y guiarse por el primer violinista.

Por fin, los músicos le rogaron que se fuera a la casa y dejara de dirigir. Lo hizo.

Fue Ludwig van Beethoven.

El hombre que muchos consideran el mejor compositor de su tiempo aprendió que nadie es un genio para todo.[17]

Según la actividad propia de cada miembro

"Si el pie dijera: «Como no soy mano, no soy del cuerpo», no por eso dejaría de ser parte del cuerpo" (1 Cor. 12:15).

Cada una de nosotras tiene un papel en el cuerpo. Puede ser que te sientas como la uña del meñique, pero cuando me pica el oído, es precisamente el miembro del cuerpo que necesito. Y pregunta a una paciente de cáncer sobre la importancia de los pelos en la nariz después de que la quimioterapia le haya hecho perder todo cabello.

¿Mi punto? **Cada miembro del cuerpo es importante y cada miembro del cuerpo tiene un papel importante para cumplir.** Cuando caemos en la trampa de la comparación, nos sentimos inadecuadas, insuficientes, y sin valor.

"Según la actividad *propia* de cada miembro" (Ef. 4:16, *énfasis agregado*). A cada una le toca su *propio* trabajo, no el de otra. La mano no puede funcionar como corazón. El hígado no puede reemplazar la vejiga. Y si el tobillo tratara de ser una muñeca, le pondríamos una cara de ridiculez por la locura de su intento.

Cuando comparo mis habilidades con lo que Dios ha llamado a otra a ser o hacer, quedo falla (Gál. 6:3-5). Dios te formó en el vientre de tu madre (Sal. 139:13), y te creó únicamente como el individuo maravilloso que eres.

---

[17] David Sacks, 1001 Quotes, Illustrations, and Humorous Stories for Preachers, Teachers, and Writers, pg. 268

Y aunque hay cosas que Dios pide que todas hagamos, como el enseñar, no lo hacemos de la misma forma.

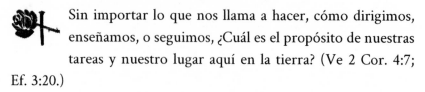 Sin importar lo que nos llama a hacer, cómo dirigimos, enseñamos, o seguimos, ¿Cuál es el propósito de nuestras tareas y nuestro lugar aquí en la tierra? (Ve 2 Cor. 4:7; Ef. 3:20.)

De una falta de poder a poderosa

Llega un momento en el que te toca decir, "Me rindo. He aprendido lo que puedo aprender. He peleado lo más que puedo. Me he aferrado a esta mentira suficiente tiempo. Ya estoy lista para ser libre."

Pero el momento más difícil es cuando ya tengo que decir, "Ya. Se acabó." Y soltar la mentira. "¡No más!"

Tal como el momento en el que Jesús dijo, "Todo se ha cumplido," dando Su espíritu, no se había terminado la historia. Al morir a nosotros mismos, la vida vieja queda en el pasado. ¡Al matar a la mentira, hay resurrección en la nueva vida!

Mi amiga Katie cuenta la historia de un tiempo en que estaba doblada en el piso del baño, pocos días antes de exponer para un retiro de mujeres. Se sintió inadecuada y esas emociones le paralizaron. "No veo cómo Dios quiere usarme a mí para hablar con estas mujeres." Estas y muchas otras mentiras le abrumaron, dejándola sin poder respirar.

Luego, justo antes de que comenzara el retiro y cuando Katie estaba por hablar, se sintió atacada por las mentiras de Satanás, verbalizadas por un comentario de otra mujer presente. La poca confianza que le quedaba a Katie en lo que Dios pudiera hacer a través de ella, se fue.

Tomando una fuerza que no era suya, Katie dijo, "¡Basta! ¡Me rindo! ¡Aléjate de mí Satanás! Si Dios me ha llamado a hacer esto, me va a dar la fuerza y las palabras necesarias para que salga algo bueno." Ya no quería seguir con las mentiras de Satanás llenando su mente. Dependió de la fuerza de Dios para sostenerla y Su Espíritu, para que hablara por ella.

Espero que tengas la fuerza para decir, "Me rindo." No estás tirando la toalla, sino que lo estás entregando a Dios: una transferencia de (nuestra) falta de poder a (Su) poder. **Un rechazo total de Satanás y de sus mentiras da a Dios la última palabra.**

Somos vasijas de barro, vasos rotos, llenas del poder incomparable de Dios (2 Cor. 4:7). Y podemos recordar esta verdad, "Él que está en ustedes es más poderoso que él que está en el mundo," (1 Jn. 4:4) cuando nos sentimos débiles e inadecuadas.

 Comparte una historia de un tiempo en que el poder de Dios se manifestó en tu falta de poder.

Jehová sigue siendo Dios

Gladys Aylward, misionera en la China hace más de cincuenta años, tuvo que huir cuando los japoneses invadieron a Yangcheng. Pero no podía abandonar su trabajo. Con una sola asistente, ella dirigió a más de cien huérfanos por las montañas a la China Libre.

Durante la caminata difícil, saliendo de la zona de guerra de Yengcheng, ella luchó con la desesperación como nunca antes. Después de pasar una noche sin dormir, llegó la mañana sin ninguna esperanza de llegar sanos y seguros. Una niña de trece años en el grupo le recordó de la historia querida de Moisés y los israelitas cuando cruzaron el Mar Rojo.

"Pero yo no soy Moisés," lloró Gladys en desesperación.

"Claro que no lo eres," respondió la niña. "¡Pero **Jehová sigue siendo Dios!**"

Cuando Gladys y los huérfanos llegaron bien, comprobaron nuevamente que no importa lo insuficientes que nos sentimos, Dios sigue siendo Dios y podemos confiar en Él.[18]

Los tiempos en los que Moisés se sintió adecuado e inadecuado

Gladys vio a Moisés como un pilar de fuerza y un líder sin ningún temor cuando los israelitas cruzaron el Mar Rojo. Pero creo que Moisés no estaría de acuerdo con ella. Se sintió insuficiente para llevar el mensaje de Dios al Faraón, para la liberación del pueblo. "Pero Moisés le dijo a Dios: —¿Y quién soy yo para presentarme ante el faraón y sacar de Egipto a los israelitas?" (Éx. 3:11)

— Señor, yo nunca me he distinguido por mi facilidad de palabra — objetó Moisés—. Y esto no es algo que haya comenzado ayer ni anteayer, ni hoy que te diriges a este servidor tuyo. Francamente, me cuesta mucho trabajo hablar.

---

[18] *The Hidden Price of Greatness*, by Ray Besson and Ranelda Mack Hunsicker citado por Jonathan G. Yandell in Rowell, Edward K., ed., *1001 Quotes, Illustrations, and Humorous Stories for Preachers, Teachers, and Writers* (Grand Rapids: Baker Books, 2008), 277.

—¿Y quién le puso la boca al hombre? —le respondió el Señor —. ¿Acaso no soy yo, el Señor, quien lo hace sordo o mudo, quien le da la vista o se la quita? Anda, ponte en marcha, que yo te ayudaré a hablar y te diré lo que debas decir.

— Señor —insistió Moisés—, te ruego que envíes a alguna otra persona. (Éx. 4:10-13)

Lo irónico es que antes de su tiempo en Madián, Moisés sí se sintió suficiente como orador y líder. Voy a compartir la historia de Moisés, desde la perspectiva de Moisés, pero inspirado por la manera en la que Esteban contó la historia en Hechos 7:17-40.

No fui ningún niño común y corriente. Desde una edad joven, todos sabían que yo era especial. Para comenzar, fui el único niño varón en mi clase, el único niño hebreo.

Mis raíces hebreas eran obvias por cómo me veía, pero estaba seguro en la casa del Faraón, criado por su hija. Dios me tenía misericordia.

Aunque el rey había mandado que todos los bebés varones fueran matados, mi mamá me mandó por el río en una cesta y la hija del Faraón me rescató. Mi hermana, Miriam, me estaba mirando de cerca, tal como siempre le gustaba cuidarme. Luego, por sugerencia de Miriam, mi mamá me pudo amamantar y contarme historias de Jehová Dios en el palacio egipcio.

Las historias de Jehová Dios se entremezclaron con la educación y la sabiduría de los egipcios, quienes me entrenaron.

Mi vida fue fácil y bendecida. "Era poderoso en palabra y en obra" (Hch. 7:22), *pero sabía del dolor y la opresión de mi pueblo, los israelitas. Entonces, cuando tenía como cuarenta años, me sentí listo. Llevaba toda mi vida como adulto sabiendo que fui salvo por un propósito especial: salvar el pueblo de Dios. Y estaba listo para cumplir mi llamado. "Yo lo haré," pensé.*

Así que cuando decidí visitar a mi gente, y vi a uno de ellos siendo maltratado por un egipcio, actué a su defensa y maté al egipcio.

Me sentí seguro de que al vengar a ese israelita, la gente se daría cuenta de que Dios me estaba usando para rescatarles (Hch. 7:25). Lamentablemente, no fue así.

Al siguiente día, unos israelitas estuvieron peleando y traté de interceder. Lo que hice el día anterior me salió al contrario de lo que anticipaba, y rechazaron mi liderazgo.

Abatido y desanimado, huí a Madián donde viví como extranjero, me casé y tuve dos hijos. Me quedé en Madián cuarenta años, trabajando como pastor, así que tuve mucho tiempo para reflexionar sobre lo que había hecho mal en Egipto.

> *Dios tenía un plan para mi vida, pero lo había tomado en mis propias manos. Lo traté de forzar a mi manera y en mi momento.*
> *Dios no me quería usar cuando era joven, "poderoso en palabra y en obra," sino cuando ya era mayor, más humilde, y que tartamudeaba.*
> *Dios esperó hasta que yo dejé de tratar de controlar cómo Él salvara Su pueblo para que Él me pudiera usar nada más como instrumento en Sus manos.*

Desafortunadamente, siempre luché con tomar las cosas en mis propias manos nuevamente, especialmente cuando la gente se quejaba y murmuraba.

Y pagué alto precio por no dejarlo en manos de Dios, por no confiar en Él y Su plan. Le pegué a la roca dos veces, en vez de hablarle (Núm. 20:1-14). Al tomarlo en mis propias manos, rechacé a Dios y no pude entrar en la tierra prometida.

Y aunque nunca llegué a pisar la tierra prometida de Canaán, la gracia de Dios es grande y puedo probar la bondad de Dios y la belleza de la eterna tierra prometida.

Durante su vida, Moisés falló más cuando se consideró suficiente y trató de hacer las cosas a su manera en vez de la de Dios.

¿Quién es suficiente?

 ¿Cuál mentira es mayor: Soy suficiente o no soy suficiente?

 ¿Cuál mentira es más peligrosa: Soy suficiente o no soy suficiente? ¿Por qué ésa?

Satanás usa las dos mentiras para atraparnos porque están más enfocadas en nosotras que en Dios.

La luchadora de los EE.UU., Helen Maroulis, ganó la medalla de oro en los Juegos Olímpicos del verano 2016. Ganó contra la japonesa, Saori Yoshida, quien había dominado el deporte en su categoría de peso como ganadora de los Juegos Olímpicos tres veces, y campeona mundial trece veces. Aunque las mujeres tenían el mismo peso, la lucha fue comparada como la batalla entre David y Goliat, según las noticias. En la entrevista después de la victoria dramática, le preguntaron a Helen cómo pudo luchar contra una adversaria tan talentosa. "Me repetía: Cristo en mí. Soy suficiente. Cristo en mí. Soy suficiente." ¡Tremendo testimonio con una oportunidad mundial para declarar definitivamente que Dios tenía la última palabra en su vida.

Cuando nos enfocamos en nosotras mismas, nunca somos suficientes. Y caemos en las mentiras de Satanás que nos impiden cumplir el llamado de Dios. Al depender de nosotras mismas y nuestras insuficiencias, nos olvidamos de que Dios busca un espíritu dispuesto a dejar que Él nos prepare y nos utilice (Is. 6:8).

Enseñar la verdad del corazón: El ejemplo de Edna

Una manera específica en la que vemos la mentira de insuficiencia es la de que "uno tiene que ser licenciada en Biblia, para enseñar una clase bíblica."

Conozco a muchas hermanas en Cristo que se sienten golpeadas por esta mentira, hasta declarada por otros miembros de la iglesia. Es mi oración que podamos descartar esa mentira y, al contrario, animar, inspirar, y equipar a cada una de Uds. en su camino con el Padre en la bendición de enseñar a otros.

Reconozco que todas tenemos diferentes talentos espirituales. Efesios 4 nos explica que Dios creó a unos maestros, otros evangelistas, otros apóstoles, etc. Pero el enseñar es de varias formas y Dios nos manda a todos a hacer discípulos en Mateo 28:18-20. ¿Cuáles son los dos elementos vitales de hacer discípulos, aclarados en esos versículos?

Al compartir la mentira de Satanás (sobre no ser suficiente como maestra) con mi amiga LaNae, se llenaron sus ojos de lágrimas al recordar a una hermana querida, Edna Gorton, con quien había trabajado en las clases dominicales de niños hace muchos años. Edna no fue entrenada formalmente; no se había graduado de la universidad; y admitió que se sintió intimidada por las decoraciones en el salón de LaNae y por sus planes de trabajo para la clase de niños, dado que LaNae es maestra por profesión. Pero **Edna era una estudiante dedicada de la Palabra y ferviente en oración.** Preparó muchas lecciones, a su manera especial, lecciones que tocaron las vidas de cada uno de los niños que pasaron por su puerta.

En una ocasión, LaNae tuvo la oportunidad de asistir a una de las clases de Edna, una clase sobre "ceñid los lomos de vuestro entendimiento." LaNae, al contarme la historia, conmovida con emoción, compartió que la lección fue tan clara y fácil de recordar, no sólo para niños, sino con buena aplicación para toda edad. Después de esa clase, LaNae felicitó a Edna por su manera especial de enseñar y su forma clara de comunicar las verdades de la Palabra de Dios. "Por favor, ¡nunca dejes de enseñar de la forma en que Dios te ha equipado para enseñar!" le dijo.

LaNae continuó sus comentarios: "Me pregunto, hasta el día de hoy, si pudiéramos averiguar la cantidad de niños que ella impactó con su enseñar y su vida. Siempre pienso en Edna cuando recuerdo a alguien que no se siente bien entrenada para enseñar. **Por favor, comparte con toda mujer con la que te encuentras que la educación formal no tiene nada que ver con las habilidades de Edna ni su corazón para enseñar las verdades de la Palabra de Dios con tanto amor.**

¡Amén! Estoy cien por ciento de acuerdo con LaNae. Yo no podría haber expresado de mejor manera la verdad con la que Dios se quiere apoderar de cada una de Uds.

El entrenamiento y la insuficiencia

Pablo mismo dijo, "Pues aunque sea tosco en la palabra, no lo soy en el conocimiento..." (2 Cor. 11:6). En su carta anterior, Pablo aclaró con más detalles sus insuficiencias y el papel imprescindible que tuvo el Espíritu Santo en equiparle.

Llena los blancos de 1 Corintios 2:1-5 (NVI):

"Así que, hermanos, cuando fui a vosotros para anunciaros el testimonio de Dios, no fui con _____. Pues me propuse no saber entre vosotros cosa alguna sino a

_____.

Y estuve entre vosotros _____; y ni mi palabra ni mi predicación fue con palabras persuasivas de humana saduría, sino con demostración _____

_____, para que vuestra fe no esté fundada en la saduría de los hombres, sino en el poder de Dios."

Según Mateo 10:19-20, ¿Quién es el que va a hablar?

Mi amiga, Katie, dijo, "Me hace pensar en Bo Shero, uno de los ancianos que hizo las entrevistas cuando nos preparamos para trabajar en misiones. Bo notó que mi esposo, Jeff, se sintió un poco intimidado por las licenciaturas universitarias en Biblia que tenían otros hombres en el equipo. Él le dijo, 'No te sientas mal por no ser licenciado en Biblia. Llevas toda tu vida siendo cristiano y hay bastante que tú puedes enseñar a ellos.' Palabras PODEROSAS de un anciano en un momento clave. **Palabras de** verdad que inspiraron a mi esposo, Jeff, a mantenerse aferrado a la Palabra, en vez de a una licenciatura en Biblia.

¿A quién estás dando la última palabra? ¿Y en las palabras de quién dependes cuando te toca enseñar?

 ¿Enseñar se ve igual para todas? ¡Claro que no! Anota tres formas de enseñar y asegúrate de que uno de los ejemplos sea una forma no tradicional de enseñar.

Llena el número dos del Cuadro de Mentira/Verdad con tu propia mentira y verdad sobre el enseñar.

RECONOCER la mentira (en tus propias palabras)	REEMPLAZAR la mentira con la verdad (en tus propias palabras)	RECORDAR la verdad (referencia bíblica)
1. No puedo enseñar esa clase. No sé lo suficiente.	Dios puede trabajar y hablar a través de cualquier persona dispuesta a estudiar, prepararse, y ser usada por Él.	"Heme aquí, envíame a mí." Is. 6:8
2.		

Satanás hace que cuestionamos nuestra identidad o nuestro papel, y por lo tanto, nuestro valor. Atacó la identidad de Jesús en la tentación (si eres el Hijo de Dios...). Y ataca nuestra identidad con la misma intensidad.

¿Qué o quién determina tu valor?

Todas las maneras anteriores para definirme me fueron quitadas. Ya no era misionera ni ministra. Se me negó la oportunidad de ser esposa y madre. Mi salud me impidió realizar mucho de lo que me sentí llamada a hacer. ¿Qué me quedaba?

Después de varias semanas de noches sin dormir y oraciones largas, lloré a Dios, pidiendo Su guía. Quería conocer mis próximos pasos y saber qué HACER. Porque lo que hacía me definía, ¿verdad? Había permitido que mi papel o mi posición como sierva de Dios en Su iglesia determinara mi lugar, mi valor, y mi identidad. Y me sentí que sin esas cosas, no era suficiente. **Había perdido la vista de la única identidad verdadera que valía.**

En mi lucha, me di cuenta de una verdad profunda: **Soy una hija del Rey. Y eso es suficiente.** Si no me identifican de ninguna otra manera, mi identidad como hija de Dios es suficiente.

No llegué a ese conocimiento por un proceso sencillo ni corto. A pesar de eso, me encanta poder aferrarme a esa verdad y recordarla cuando me siento atacada por Satanás en cuanto a mi valor personal.

Cuando recordamos la verdad sobre quiénes somos y a quién pertenecemos, damos a Dios la última palabra. Abundamos en Su amor, en vez de quedarnos atormentadas en las mentiras de Satanás.

¿Qué mejor identidad hay que la de ser hija del Rey? ¡Tú eres una princesa y heredera del trono (1 Jn. 3:1)!

 Según las Escrituras, ¿qué otras promesas o descripciones nos da Dios sobre nuestra identidad que podemos recordar?

¿Cuál es tu padre?

Los hermanos de José pensaron que serían más felices y que su padre les prestaría más atención si eliminaran a su hermanito, el hijo favorito. Pero, después de tirar a José en un pozo y luego venderlo en esclavitud, los hermanos vivieron atormentados, no felices, hasta que José les aseguró y les habló amablemente.

—No tengan miedo —les contestó José—. ¿Puedo acaso tomar el lugar de Dios? Es verdad que ustedes pensaron hacerme mal, pero Dios transformó ese mal en bien para lograr lo que hoy estamos viendo: salvar la vida de mucha gente. (Gén. 50:19-20)

Los hermanos, de José estaban celosos de su felicidad y la relación que tenía con su padre, pero **la relación más importante en la vida de José fue con su Padre Dios, no con su padre Jacob.**

El padre de la mentira no debe tener lugar, pero sus mentiras de celos nos atrapan y nos llevan a un pozo más profundo que aquel en el que los hermanos de José le tiraron. Los celos y la comparación son trampas que van de la mano y que nos llevan a meternos más profundamente en las mentiras.

"Luchamos con las inseguridades porque comparamos nuestra escena tras bastidores con los mejores momentos de los demás."[19] El Facebook hace que esa realidad sea más cruel. Las fotos y las historias compartidas se filtran de tal manera que muestran sólo la versión más bella y resaltante de nuestras vidas. No sé de ti, pero mi diario vivir no es tan glorioso en comparación con las vacaciones, proyectos, citas, y fotos de los demás.

 ¿Con cuál de las siguientes frases te identificas más (ahora o en el pasado)?

No soy suficientemente fuerte.

No soy suficientemente bella.

No soy suficientemente inteligente.

No soy suficientemente amada.

No soy suficientemente popular.

No soy suficientemente buena.

No soy suficientemente _____.

 ¿Cómo cambia nuestra perspectiva después de leer los siguientes versículos?

1 Juan 3:1-3

Romanos 5:6-8

Filipenses 3:7-14

---

[19] Anónimo

Usando una de las frases "No soy suficiente..." mencionadas arriba, llena el Cuadro de Mentira/Verdad abajo. Selecciona la frase con la cual te identificas más, e incluye la referencia bíblica para la verdad que vas a recordar, sea uno de los versículos antes mencionados, u otro versículo de verdad.

RECONOCER la mentira (en tus propias palabras)	REEMPLAZAR la mentira con la verdad (en tus propias palabras)	RECORDAR la verdad (referencia bíblica)

Para dar a Dios la última palabra, escribe como crees que Dios respondería a la frase que escogiste sobre tu insuficiencia. **Recuerda que Dios te ama como Su hija, Su heredera, y Su princesa.**

Los Elementos Comunes esta semana posiblemente vendrán de la suficiencia en Cristo, en comparación con nuestras incapacidades. Cuando Pablo se enfrentó con sus insuficiencias, compartió la última palabra de Dios para su vida, en 2 Corintios 12. Vamos a cerrar con las palabras de Pablo como recordatorio del amor abundante y la gracia sin fin: la última palabra y la respuesta a las mentiras de Satanás que atacan nuestras fallas e inseguridades.

Para evitar que me volviera presumido por estas sublimes revelaciones, una espina me fue clavada en el cuerpo, es decir, un mensajero de Satanás, para que me atormentara. Tres veces le rogué al Señor que me la quitara; pero él me dijo: «Te basta con mi gracia, pues mi poder se perfecciona en la debilidad.» Por lo tanto, gustosamente haré más bien alarde de mis debilidades, para que permanezca sobre mí el poder de Cristo. Por eso me regocijo en debilidades, insultos, privaciones, persecuciones y dificultades que sufro por Cristo; porque cuando soy débil, entonces soy fuerte. (2 Cor. 12:7-10)

Elementos Comunes:

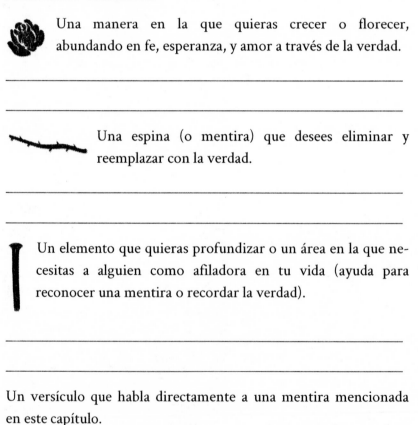

Una manera en la que quieras crecer o florecer, abundando en fe, esperanza, y amor a través de la verdad.

_____

_____

Una espina (o mentira) que desees eliminar y reemplazar con la verdad.

_____

_____

Un elemento que quieras profundizar o un área en la que necesitas a alguien como afiladora en tu vida (ayuda para reconocer una mentira o recordar la verdad).

_____

_____

Un versículo que habla directamente a una mentira mencionada en este capítulo.

_____

CAPÍTULO 12

Mentiras de naturaleza sexual

El ideal cristiano no se ha tratado y encontrado con falla. Sino que se ha encontrado difícil y no se ha intentado. – G.K. Chesterton

No puedes hacer que el sexo haga el trabajo del amor, ni el amor el trabajo del sexo. – Mary McCarthy

El cristianismo es una religión seria y que demanda mucho. Cuando se presenta de una forma fácil y entretenida, es otro tipo de religión que no lo es. – Neil Postman

El sexo, las drogas, y la música rock: los tres pecados graves de los años 1980 y 1990 que infiltraron toda conversación con ministros de jóvenes, padres, y otros. Nos advirtieron sobre su naturaleza mala, sus mensajes subliminales en los videos de música, y su camino a pecados mayores.

No hubo ninguna conversación sobre el sexo como una bendición de Dios, en el contexto del matrimonio. "El sexo es malo," fue el refrán declarado más fuerte desde los púlpitos, los salones con reuniones de jóvenes, y las mesas de cocina.

"El sexo es como un fuego. En una chimenea, es caluroso y encantador. Fuera del lugar, es destructivo e incontrolable."[20]

Las verdades y las mentiras de una naturaleza sexual son temas delicados y pueden provocar una cantidad de reacciones emocionales y espirituales. Así como hemos hecho en todos los capítulos anteriores, te animo a comenzar este con mucha oración, una mente abierta, y un espíritu de entendimiento hacia las luchas de otras. No es mi intención ofender ni reprender, sino la de dar a Dios la última palabra sobre estos asuntos. Ni mis palabras, ni las tuyas.

Durante la misma época de las conversaciones sobre "el sexo, las drogas, y la música rock," me acuerdo claramente de una muchacha en mi escuela secundaria que hizo un comentario en defensa al sexo con más de una pareja. Ella declaró, "No es que la Biblia habla en contra de esa práctica."

Me sorprendió tanto su comentario que me quedé sin palabras. Estaba todavía en mi época de shock cultural. Creo que me acuerdo murmurar algo como, "¿Has leído la Biblia?" Y ella me respondió, "Pues, sí. Y no hay nada allí que habla de que sea malo. Sabes, Dios creó el sexo."

No me acuerdo del nombre de la chica, pero vagamente me acuerdo de su cara. He orado por ella cada vez que me acuerdo de esa conversación, y pienso en todas las cosas que quisiera decirle. Me encantaría sentarme con ella y ayudarla a reconocer las mentiras sexuales, reemplazarlas con la verdad, y recordar la verdad, todo a través de las Escrituras.

---

[20] Green, Michael P., ed., *1500 Illustrations for Biblical Teaching* (Grand Rapids: Baker Books, 2005), 333.

Mientras tanto, en los años de los 80, mi conversación con esa chica fue como una justificación para los que predicaban un mensaje constante: "El sexo es malo." Se hablaba como si fuera una tentación nueva, una nueva trampa de Satanás. Pero sabemos que las tentaciones sexuales no son nuevas para nada.

> ➢ Corintizar significa practicar la inmoralidad sexual. Es una palabra griega inspirada por la ciudad de Corinto, una cultura saturada del sexo, en la era de la iglesia primitiva. El templo de Afrodita estaba en Corinto y la prostitución se practicaba en el nombre de la religión.

> ➢ David justificó sus acciones con Betsabé y el matar a Urías por su deseo sexual. Cuando Natán le confrontó directamente, se dio cuenta de las mentiras sexuales en las cuales había caído (2 Sam. 11-12).

> ➢ Antes de llegar a la mitad del libro de Génesis, Dios ya está listo para destruir ciudades enteras a causa de su desviación sexual y su comportamiento sexual, rechazando totalmente las enseñanzas de Dios (Sodoma y Gomorra en Gén. 18-19).

Es fácil decir que Satanás lleva desde el principio llenando nuestras mentes con las mentiras sexuales. Por supuesto, el padre de mentiras y el engañador principal tomaría una de las cosas que Dios creó con mucho placer y distorsionaría las verdades que protegen el diseño original del sexo. Quiere que caigamos en las trampas problemáticas que rodean el sexo.

Génesis 2:24 dice, "Por eso el hombre deja a su padre y a su madre, y se une a su mujer, y los dos se funden en un solo ser." Una sola carne. Una unión de corazón, mente, cuerpo, y alma.

Cuando hacemos una unión en uno de estos contextos sin el compromiso completo de todo el paquete del matrimonio, o alteramos de cualquier manera el diseño de Dios, estamos distorsionando lo que Dios quería originalmente.

C. S. Lewis lo describió de esta forma:

La idea cristiana del matrimonio está basada en las palabras de Cristo de que un hombre y una mujer han de ser considerados como un único organismo... ya que eso es lo que las palabras «una sola carne» significarían en lenguaje moderno. Y los cristianos creen que cuando Cristo dijo esto no estaba expresando un sentimiento, sino estableciendo un hecho, del mismo modo que uno establece un hecho cuando dice que una cerradura y su llave son un solo mecanismo, o que un violín y su arco son un solo instrumento musical. El inventor de la máquina humana nos estaba diciendo que sus dos mitades, la masculina y la femenina, estaban hechas para combinarse entre ellas en parejas, no simplemente en el nivel sexual, sino combinadas totalmente. La monstruosidad de la unión sexual fuera del matrimonio es que aquellos que la practican están intentando aislar una sola clase de unión (la sexual) de todas las demás clases de unión que habían sido destinadas a acompañarla para realizar la unión. La actitud cristiana no significa que haya nada malo en el placer sexual, como tampoco lo hay en el placer de comer. Significa que no debemos aislar el placer e intentar obtenerlo por sí mismo, del mismo modo que no debemos intentar obtener el placer del gusto sin tragar ni digerir, masticando cosas y escupiéndolas después.[21]

---

[21] Lewis, C. S. *Mero Cristianismo. Mere Christianity* (New York: Harper Collins, 2001) 104-5.

Dios redime las experiencias sexuales negativas

¿Te acuerdas de tu primer enamoramiento? Toma un momento para recordar su nombre y cómo se veía parado en el parque durante el recreo de la escuela. ¿Te vas a olvidar de él?

Ahora piensa en tu primer beso. Su nombre, dónde estuvieron, las emociones que provocaron en lo más profundo de tu ser, lo incómodo que fue el momento, y quizás hasta la ropa que tenías puesta... Son recuerdos permanentemente grabados en tu memoria, ¿no?

¿Sería distinta la primera experiencia sexual?

Lamento mucho quienes tuvieron su primera experiencia sexual no como desearon. No fue lo que Dios diseñó ni lo que quería para ti tampoco. Lamento mucho si alguien se aprovechó de ti a causa de sus propios deseos sexuales egoístas. El abuso sexual de los niños y la violación son cosas serias y espero que hayas llegado a conocer el poder redentor de Dios y Su manera de transformar y limpiar totalmente tu vida. Sólo Dios conoce la profundidad de tus cicatrices, pero le pido a Dios que hayas probado de la vida nueva que Él ofrece. Y te pido perdón si te cuesta leer este capítulo. Espero que le des a Dios la última palabra en tu vida.

Las mentiras de Satanás sobre el abuso sexual son desenfrenadas. Permíteme pronunciar algunas palabras de verdad sobre ti: No mereces lo que te pasó. No es tu culpa. Puedes llegar a ser nueva. Sí, lo que pasó es parte de tu vida, pero no te define. Sí, hay varones que te pueden ver más allá de tu quebranto y amarte por quien eres. No todo hombre (o mujer) te tratará de esa forma. Se puede confiar en Dios. Hay hermanas y consejeros cristianos en los cuales puedes confiar para tomar pasos hacia la sanidad. No eres la única que ha pasado por algo así. Tú eres digna del amor de Dios. Eres bella.

Antes de seguir, toma el espacio abajo para escribir dos de las promesas del párrafo anterior, reemplaza el "tú" con "yo," e inserta tu propio nombre.

Ejemplo: *Yo, Michelle, soy digna del amor de Dios.*

¿Por qué hablamos tanto del sexo?

Como ya se sabe, muchos no siguen el diseño de Dios para el amor y el matrimonio. Y puede ser que hayas notado que muchos de los testimonios en este libro (y otros por venir) incluyen una caída en una trampa sexual a raíz de otras mentiras. Satanás es un sinvergüenza en cuanto a sus ataques. Engaña, usa sus artimañas, y hace que sean atractivas las tentaciones.

¿Cuál es el elemento más intenso o peligroso del pecado sexual, según 1 Corintios 6:18?

 ¿Por qué es tan importante notar que los pecados sexuales son "contra nuestro propio cuerpo?" ¿Qué significa eso?

¿El mundo está de acuerdo con esa verdad de que el pecado sexual es contra nuestro propio cuerpo? ¿Cómo describe el mundo el pecado sexual?

Mentiras sobre el amor

Otra manera de ver las mentiras es comparar lo que dice el mundo y lo que dice la Palabra (Jn. 17:12, 14-15). ¿Suena conocido? Es como reconocer la mentira y recordar la verdad.

 ¿Qué dice 1 Juan 4:5-6 que podemos hacer para reconocer el Espíritu de verdad y el espíritu de falsedad?

Santiago también nos advierte que debemos guardar nuestras mentes y corazones con la Palabra y no ser influenciadas por el mundo (Sant. 3:13-18). Las advertencias paralelas de Santiago y Juan resaltan el contraste entre la perspectiva de la Palabra y la del mundo. **Cuando dependemos de la perspectiva distorsionada del amor, nuestra imagen del sexo será afectada también.** Entonces, vamos a dejarlo claro y recordar la verdad de Dios.

¿Qué es el amor?

> ➢ ¿Afecto físico o un compromiso de corazón, alma, mente, y fuerza?
> ➢ ¿Corazoncitos por los mensajes de texto o amar de todo corazón?
> ➢ ¿Busca lo suyo o trata de bendecir y honrar a otros?

¿Cómo define el mundo el amor?

Recuerda, si conocemos la verdad, se nos hace mucho más fácil reconocer la mentira.

 ¿Cuál es el diseño de Dios para el sexo, el amor, y el matrimonio? ¿Y dónde vemos ese diseño o definición en la Biblia?

Sabemos que Dios nos ama, pero Dios ES amor (1 Jn. 4:8). Y Su amor para con nosotras es sacrificado (Jn. 3:16), redentor (Os. 3:1), e inmerecido (Sal. 103:10).

Amada como una novia

No hay mejor identidad que la de ser novia de Cristo (2 Cor. 11:2; Ap. 19:7, 21:9). Esta promesa es para las casadas, solteras, y divorciadas, no importa si hayas sido novia o si siempre hayas soñado con ser novia.

Cuando asisto a las bodas, tengo un momento favorito. ¿Sabes cuál es? No puedo comer la torta. Y el vestido, por más bello que sea, no es lo que miro. Mi momento favorito en la boda es cuando entra la novia y veo la cara del novio. Los hombres más machos se derriten. Tienen una cara indescriptible de amor, anhelo, orgullo, y gozo. Su expresión refleja su pensamiento de tremenda bendición y honor, hasta de sorpresa al darse cuenta que, "¡Ella va conmigo!"

Cristo te mira con el mismo amor, anhelo, orgullo, y gozo cuando te ve como Su novia. Cuando nos unimos con Él en el bautismo, se llena del mismo sentido de bendición y honor de que ahora nos puede llamar suya. "¡Ella va conmigo!" declara Jesús con emoción y en celebración de Su amada.

No hay mayor bendición que nuestra identidad como la novia de Cristo, el cumplimiento de las muchas expresiones del amor de Dios por todas las Escrituras.

 ¿Qué significa ser la novia de Cristo (las bendiciones, las responsabilidades, y las implicaciones)?

 ¿Por qué usa Dios la analogía de la novia de Cristo para nosotras como individuos y como iglesia? (Puedes referir a 2 Cor. 11:2; Ap. 19:7, 21:9 y los versículos cercanos.)

¡Dios te ama como su novia atesorada y amada!

Ataques pequeños se convierten en grandes rajas

Satanás hace todo lo posible para subestimar nuestra identidad como la novia de Cristo. Y lo hace de una forma sutil y lenta...

Los científicos ahora dicen que fue una serie de cortes pequeños no una brecha grande, lo que hundió el *Titanic*.

El crucero grandioso de casi 300 metros se hundió en 1912 en su primer viaje de Inglaterra a Nueva York. Mil quinientas personas murieron en el peor desastre marino que jamás se ha visto.

La teoría más creída por años fue la de que el crucero chocó con un iceberg, que abrió una gran brecha al lado del barco. Pero un equipo internacional de buzos y científicos usaron ondas de sonido para explorar los restos del crucero, enterrados en tres kilómetros de lodo. Lo que descubrieron: El daño fue pequeño. En vez de una brecha grande, encontraron seis rajas relativamente angostas donde supuestamente estaban los sellos herméticos.

El daño pequeño, debajo de la línea de flotación e invisible a todos, pudo hundir un gran barco. De la misma manera, pequeñas transigencias, no vistas a otros, pueden hundir la reputación y buen carácter de alguien.[22]

¿Por qué tantas mentiras de naturaleza sexual?

Cuando vemos a las mentiras de naturaleza sexual, la influencia de Satanás es extensa. Gradualmente va mermando nuestra convicción, tal como las rajas en el *Titanic*. Y aunque las rajas comienzan pequeñas, la anchura y profundidad de sus ataques en el contexto sexual son más frecuentes que en cualquier otra área. A raíz de eso, pido que me perdones este Cuadro de Mentira/Verdad tan largo. Va a haber algunas preguntas de reflexión al final del Cuadro.

[22] Rowell, Edward, ed. *1001 Quotes, Illustrations, and Humorous Stories* (Grand Rapids: Baker Books, 2008), 228-9.

RECONOCER la mentira (en tus propias palabras)	REEMPLAZAR la mentira con la verdad (en tus propias palabras)	RECORDAR la verdad (referencia bíblica)
1. El sexo es malo.	Dios creó el sexo como algo bello y maravilloso entre un hombre y una mujer, sagrado para el matrimonio.	Cantar de los Cantares[23]
2. Mi identidad sexual es lo que me define.	Mi identidad en Cristo es lo que me define.	Si alguno está en Cristo, es una nueva creación. 2 Cor. 5:17
3. Si se siente bien, no puede ser malo.	No se puede confiar en las emociones.	"Nada hay tan engañoso como el corazón. No tiene remedio. ¿Quién puede comprenderlo?" Jer. 17:9

---

[23] Cantar de los Cantares no es el libro más citado de la Biblia. Algunos eruditos bíblicos lo describen como una alegoría del amor de Dios para la iglesia, pero el lenguaje se presta más para la relación entre un hombre y su esposa en la privacidad de la cama matrimonial. No se puede leer muchas partes del libro sin ruborizarse. La imaginería es poética y romántica. Y, más importante, refleja la belleza con la que Dios diseñó la unión sexual y el deleite en el matrimonio.

RECONOCER	REEMPLAZAR	RECORDAR
4. La pornografía es una lucha exclusiva a los varones.	Hay un aumento de adicción a la pornografía entre las mujeres.[24]	"No tengan nada que ver con las obras infructuosas de la oscuridad, sino más bien denúncienlas, porque da vergüenza aun mencionar lo que los desobedientes hacen en secreto. Pero todo lo que la luz pone al descubierto se hace visible." Ef. 5:11-13
5. Soy una cristiana fuerte. Puedo estar en situaciones transigentes o experimentar sexualmente sin caer en la tentación.	Huir no significa una libertad de acercarnos lo más que podamos sin cruzar la línea.	"Huyan de la inmoralidad sexual..." 1 Cor. 6:18a "no desvelen ni molesten a mi amada hasta que ella quiera despertar." Cant. 2:7, 3:5, 8:4

[24] "En su Reporte Anual del 2013, Ojos del Pacto, un sitio web que ofrece servicios de filtro y compromiso, reporta que 20 por ciento de las mujeres cristianas dice que son adictas a la pornografía. Entre las universitarias, 18 por ciento dice que pasa tiempo en el internet semanalmente para el sexo. Iglesia XXX, un recurso en línea para adictos a la pornografía, cita que uno de tres visitantes a los sitios web para adultos son mujeres. 9,4 millones de mujeres ven la pornografía mensualmente, y 13 por ciento de las mujeres admiten ver la pornografía en el trabajo." Maria Cowell. "Porn: Women Use It Too," *Today's Christian Woman* online, February 2015

RECONOCER	REEMPLAZAR	RECORDAR
6. Dado que ya he caído en la trampa sexual, voy a seguir teniendo relaciones sexuales. Ya estoy sucia y no puedo recuperar mi virginidad.	Mi cuerpo es un templo a ser honrado. Dios se especializa en la redención. Nos compra de vuelta con un amor eterno y nos restaura.	"¿Acaso no saben que su cuerpo es templo del Espíritu Santo, quien está en ustedes y al que han recibido de parte de Dios? Ustedes no son sus propios dueños; fueron comprados por un precio. Por tanto, honren con su cuerpo a Dios." 1 Cor. 6:19-20
7. Si lucho con la atracción a las mujeres, ya estoy condenada.	Dios no nos condena por las luchas porque dan testimonio de que anhelamos *no* caer en el pecado.	"Porque en lo íntimo de mi ser me deleito en la ley de Dios; pero me doy cuenta de que en los miembros de mi cuerpo hay otra ley, que es la ley del pecado. Esta ley lucha contra la ley de mi mente, y me tiene cautivo. Por lo tanto, ya no hay ninguna condenación para los que están unidos a Cristo Jesús, pues por medio de él la ley del Espíritu de vida me ha liberado de la ley del pecado y

		de la muerte." Rom. 7:22-23, 8:1-2
RECONOCER	**REEMPLAZAR**	**RECORDAR**
8. Cómo Dios define el matrimonio, no tiene lugar en el mundo hoy día.	El diseño de Dios para el matrimonio es la respuesta a muchos de los problemas hoy día.	"Por tanto, imiten a Dios, como hijos muy amados, y lleven una vida de amor, así como Cristo nos amó y se entregó por nosotros como ofrenda y sacrificio fragante para Dios. Entre ustedes ni siquiera debe mencionarse la inmoralidad sexual, ni ninguna clase de impureza o de avaricia, porque eso no es propio del pueblo santo de Dios." Ef. 5:1-3
9. Coquetear con mi compañero de trabajo no significa que estoy siendo infiel a mi esposo. Él sabe que soy una mujer casada.	Fidelidad a Dios y a mi esposo debe ser de más alta prioridad que un cumplido o un coqueteo temporal.	"Como hijos obedientes, no se amolden a los malos deseos que tenían antes, cuando vivían en la ignorancia. Más bien, sean ustedes santos en todo lo que hagan, como también es santo quien los llamó;" 1 Pe. 1:14-15

RECONOCER	REEMPLAZAR	RECORDAR
10. Dios puso a este hombre maravilloso en mi vida.	Por si estabas confundida, Dios jamás te enviaría el esposo de otra mujer.	"Tengan todos en alta estima el matrimonio y la fidelidad conyugal." Heb. 13:4
11.		
12.		

 ¿Cuál de las mentiras o las verdades de este Cuadro de Mentira/Verdad más te llama la atención? ¿Por qué ésa?

Antes de seguir, agrega unas mentiras y verdades al Cuadro de arriba para los números 11 y 12. (No se te olvide *Recordar la verdad* con un versículo específico.)

Cómo Satanás usó las mentiras en las vidas de Libby y Linda

Quiero compartir las historias de dos mujeres y agradecerles su buena voluntad por compartir abiertamente sobre cómo Satanás trabajó en sus vidas, para atraparles con varias mentiras, las cuales les llevaron al pecado sexual. Su oración es que tú encuentres esperanza a través de sus historias y que sepas que no estás sola en tus luchas. Aún si no hayan sido tus luchas personales, esperamos que estas historias te ayuden a entender más sobre las mentiras con las cuales otras sí han luchado.

La historia de Libby (continuada en el Apéndice D)

Si una araña hiciera su telaraña en una línea recta, pocos insectos caerían en la trampa para ser devorados por la araña. Aunque Dios nos da límites claros para el pecado y la vida abundante, por medio de Su palabra, Satanás teje una telaraña de mentiras por la cual se nos hace más fácil caer en las zonas "grises." A veces esa telaraña toma mucho tiempo, creciendo más ancha con cada mentira nueva, haciendo que aumente la posibilidad de que, de repente, los hijos de Dios nos encontremos luchando en la trampa pegajosa, mientras que Satanás se acerca para devorarnos. Satanás me persiguió por muchos años, tejiendo una telaraña de mentiras especialmente para mí que, por un tiempo, me quitó el valor propio.

Hasta que me gradué de la universidad, mi vida iba en la dirección "correcta." Trabajaba duro en la universidad, y el día de mi graduación caminé alegremente sobre el piso del gimnasio para recibir mi diploma. Pocos días después, subí a un avión para viajar a Honduras como había hecho por los últimos años durante los descansos de clases. Era la chica con la mentalidad misionera y corazón de sierva, la que siempre iba a los cultos de la iglesia. No quiero decir que era, ni que soy, sin pecado. Al contrario, lucho con el pecado igual que todos, pero nunca sentía que

*Satanás tuviera control completo sobre mi corazón, impidiendo la vida que yo quería e imaginaba para mi futuro. Al ver atrás, **puedo ver que Satanás me halaba poco a poco, relación por relación. Y antes de darme cuenta, ni yo misma me reconocía.***

*Un poco antes de graduarme de la universidad y mudarme a Honduras (hasta que la inestabilidad política me hizo regresar a casa), conocí a un hombre a quien le llamé la atención. Me sentí emocionada porque eso no me pasaba mucho. En los años de la escuela secundaria, no salía con nadie. Nadie me buscaba tampoco, y por lo tanto, **comencé a sentirme indeseable. A veces dejaba que ese pensamiento me consumiera, y así Satanás empezó a sembrar semillas de duda sobre mi propio valor.** Al principio, no me di cuenta de cómo mis pensamientos estaban cambiando, hasta que me encontré en medio de una relación. **Mentira número 1: "Mi valor viene de los hombres."***

[Por favor, ve el Apéndice D, pg. 273 para leer el resto de la historia poderosa de Libby. Su historia incluye las siguientes mentiras con las que Libby luchó, y las verdades que la liberaron.]

Mentira: Ningún hombre estaría orgulloso de tenerme a su lado.

Mentira: No hay problema en encontrarme en una relación con alguien que no comparte mi fe ni mis creencias.

Mentira: Tener sexo salvará mi relación.

Mentira: Muchas veces me sentía que por meterme en esta situación sola, tenía que resolver los problemas sola también.

*Verdad: **Dios es más grande.***

*Verdad: **Puedo pararme con confianza al saber que mi valor es por ser hija de Dios, no por ser la novia de un hombre.***

La historia de Linda

El enemigo es muy engañoso. Conoce nuestras debilidades y está listo para atacar cuando se le abren las puertas. "Su enemigo el diablo ronda como león rugiente, buscando a quién devorar" (1 Pe. 5:8). Dios nos ha dado la responsabilidad de mantenerlo como nuestra Puerta.

Y cuando pensé que mi puerta estaba segura, me encontré en un lugar muy vulnerable. Y la razón principal por la que estaba vulnerable: No estaba permitiendo que Dios fuera el Señor de mi vida.

Mi esposo, Dan, y yo estábamos criando a tres hijos bellos. Dan trabajó duro para proveer para nosotros, para que yo pudiera ser ama de casa: un privilegio que siempre quise tener. Hicimos todo lo posible para criar a los hijos en el Señor: asistir a la iglesia, a la clase dominical, e involucrarlos en las actividades de jóvenes. Pagamos para que asistieran a una escuela cristiana, y fueran activos en su servicio a Dios, rodeados por amigos cristianos.

Aprendimos bien "la manera de la vida cristiana." No fue fácil. Los dos crecimos en hogares con mucho amor, pero los padres de ninguno de los dos eran cristianos. No tuvimos el ejemplo de un hogar cristiano. Doy gracias a Dios por las bendiciones y los privilegios con los cuales nos bendijo, y la misericordia que nos extendió al ser padres.

Desde afuera, nuestra vida se veía bien bonita. Pero yo había aprendido a presentar buena apariencia. En otras palabras, no estaba en una relación profunda con Dios para decir que le conocía muy bien, para depender de Él en vez de en mí misma. Entonces, una de las primeras mentiras que creí fue la de que mi vida era "suficientemente buena." Especialmente cuando comparé mi vida con la de mis padres. Hacía mejor que ellos. El pecado de la arrogancia.

Mi esposo llevaba unos años con su propio negocio. El ser auto-empleado tenía sus propios desafíos, y definitivamente requería mucho tiempo y energía. Y para hacer una historia larga más corta y no escribir mi propio libro dentro de el de Michelle, te lo voy a decir directamente: *Caí en la relación pecaminosa de una aventura.*

Fue una decisión egoísta de mi parte y no hay ninguna excusa buena. No echo la culpa a más nadie. Pero por el otro lado, **me he arrepentido, he sido perdonada y redimida por el amor, la gracia, y la misericordia de nuestro Dios maravilloso y victorioso.** Mi esposo y mi familia también me han regalado ese mismo amor y perdón. Se ha restaurado nuestro matrimonio. ¡Toda honra y gloria a Dios!

Fue poco después de que mi hija mayor se graduó de la secundaria. Mis hijos ya estaban más independientes, y no me sentía tan necesitada por ellos. Mi esposo estaba trabajando duro para proveer para la familia y manejar su negocio, así que comencé a sentirme sola y a creer muchas mentiras:

➤ *Mentira:* No soy importante para mi esposo.
➤ *Mentira:* No soy una prioridad.
➤ *Mentira:* Me siento vacía.
➤ *Mentira:* A mi esposo no le importa lo que hago todos los días.
➤ *Mentira:* Lo único que él quiere de mí es el sexo.
➤ *Mentira:* Merezco algo mejor.
➤ *Mentira:* Este otro hombre se ha convertido en un mejor amigo que mi propio esposo. Le importo más.
➤ *Mentira:* Este otro hombre me conoce y me entiende mejor que mi propia familia.
➤ *Mentira:* Dios nos unió.

Creo de todo corazón que si yo hubiera estado buscando a Dios para llenarme, no me hubiera caído. Su Palabra es verdad y nos puede fortalecer, proteger, y cambiar. Y sin ella, no tendría esperanza. Si me hubiera quedado en ese camino de pecado, no tendría el poder de Dios dentro de mí para ver la verdad de Sus promesas ahora. Él trae bondad, misericordia, gracia, y fidelidad a mi vida.

Por siempre estaré agradecida a Dios por Su compasión, Su amor, y Su paciencia. Nos dice que nunca nos dejará ni nos abandonará. ¡Es una promesa y la creo! Aunque volteé y le abandoné, Dios me persiguió y luchó por mí. Él ama a cada una de nosotras con esa profundidad e intensidad. Alabo a Dios por la verdad de Su Palabra que me sacó de un pozo horrible, y de vuelta a Sus brazos amorosos. Pero después de comenzar en el camino de arrepentimiento, seguí luchando con otras mentiras.

> ➤ *Mentira: Herí a demasiadas personas para ser perdonada.*
> ➤ *Mentira: Mi pecado es demasiado grande para una recuperación.*
> ➤ *Mentira: Aún si Dios me perdona, más nadie me perdonará.*
> ➤ *Mentira: Era tan estúpida. Debería saber qué estaba haciendo. ¿Cómo pude hacer esto a mi familia? (Perdonar a mí misma fue una tremenda lucha.)*

*Con el apoyo y la paciencia de mi esposo amoroso y mi familia, y también otras personas en mi vida que querían lo mejor para mí, constantemente me señalaron a Dios. **Mi buena voluntad y deseo de someter mi corazón a Dios permitió que Él me hablara con palabras de verdad.** Algunos de los versículos que resalté en mi Biblia, que me hablaron de la verdad, la esperanza, y el amor que tanto necesitaba fueron:*

> ➤ *La verdad es que Dios sabe lo que dice cuando dice, "Toda palabra de Dios es digna de crédito" (Pr. 30:5).*
> ➤ *La verdad es que nada de lo que hago o no hago puede cambiar el amor que Dios me tiene. "Porque por gracia ustedes han sido salvados mediante la fe; esto no procede de ustedes, sino que es el regalo de Dios, no por obras, para que nadie se jacte" (Ef. 2:8-9).*
> ➤ *Verdad: No tengo que depender de mi propia fuerza. "Te basta con mi gracia, pues mi poder se perfecciona en la debilidad" (2 Cor. 12:9).*
> ➤ *Otra verdad: Dios me comprende y me ama, ¡mucho! "Pero tú, Señor, eres Dios clemente y compasivo, lento para la ira, y*

grande en amor y verdad" (Sal. 86:15).
➤ *Verdad: Hay esperanza cuando me someto a Dios, y Él restaurará lo que he echado a perder. "Reconócelo en todos tus caminos, y él allanará tus sendas" (Pr. 3:6).*
➤ *Verdad: Dios quiere protegerme y bendecir mi vida. "El ladrón no viene más que a robar, matar y destruir; yo he venido para que tengan vida, y la tengan en abundancia" (Jn. 10:10).*
➤ *La verdad: Dios sabe cuándo voy a caer y Él promete agarrarme. "Tu reino es un reino eterno; tu dominio permanece por todas las edades. Fiel es el Señor a su palabra y bondadoso en todas sus obras. El Señor levanta a los caídos y sostiene a los agobiados" (Sal. 145:13-14).*

Alabo a Dios por Su regalo más perfecto, ¡la Biblia! No hay otro camino que nos compunge o nos fortalece más que la Palabra de Dios.

¿Justificación o arrepentimiento?

¿Te das cuenta de cómo Dios guió a esas mujeres a reconocer, reemplazar, y recordar? Satanás ganó algunas batallas, pero las dos dieron a Dios la última palabra en sus vidas, y proclamaron victoria en Su nombre.

Sin embargo, si no tenemos cuidado, podemos llegar a confundir las palabras de Dios con las de Satanás, un lobo vestido de oveja. Así como hizo Linda en la mentira sobre el hombre que no era su esposo (y la mentira no. 10 en el Cuadro de Mentira/Verdad), **tratamos de insertar el nombre de Dios en la mentira para justificar nuestras acciones.** ¡Qué estrategia más engañosa de Satanás! Pero la podemos reconocer como la mentira que es, y recordar la verdad sobre quién es Dios y lo que Él nos manda.

Porque una vez caídas en el pecado, buscamos otras mentiras para justificarnos. El Rey David hizo lo mismo (2 Sam. 11). Pero gracias a Dios, la historia no termina allí.

La palabra de Dios, a través del profeta Natán forzó a David a reconocer las mentiras en las cuales quedó atrapado, y la gravedad de su pecado (2 Sam. 12). Y por su petición a Dios por limpieza, renovación, y restauración (Sal. 51), David reemplazó las mentiras con la verdad.

Linda, Libby, y muchas de nosotras nos identificamos con la oración de David en Salmo 51. Él había perdido la vista del gozo de la salvación y ese salmo de arrepentimiento fue su llamado a Dios por perdón y redención.

¿Puedes creer que el hombre con el corazón conforme al de Dios cayó en el pecado sexual? Sí, lo hizo. Pero, recordó la misericordia, el amor, y la gran compasión de Dios después de admitir su pecado.

Y David llegó a descansar en la verdad y el amor de Dios: no una gratificación instantánea del falso amor sexual con Betsabé, sino un verdadero amor, incondicional y perfecto del Padre que le perdonó.

¿Cuál vas a escoger: la mentira de la gratificación temporal o la verdad de la santificación eterna?

> *Purifícame con hisopo, y quedaré limpio;*
> *lávame, y quedaré más blanco que la nieve.*
> *Crea en mí, oh Dios, un corazón limpio,*
> *y renueva la firmeza de mi espíritu.* (Sal. 51:7, 10)

Elementos Comunes:

Una manera en la que quieras crecer o florecer, abundando en fe, esperanza, y amor a través de la verdad.

_____

_____

Una espina (o mentira) que desees eliminar y reemplazar con la verdad.

_____

_____

Un elemento que quieras profundizar o un área en la que necesitas a alguien como afiladora en tu vida (ayuda para reconocer una mentira o recordar la verdad).

_____

_____

Un versículo que habla directamente a una mentira mencionada en este capítulo.

_____

_____

CAPÍTULO 13

Mentiras sobre la gracia

Dios nos ama tal y como somos, pero nos ama demasiado para dejarnos así. – Leighton Ford

Perdonamos al nivel que amamos. – Francois de la Rochefoucauld

Nuestra cultura ha aceptado dos grandes mentiras. La primera es que si estás en desacuerdo con la vida de alguien, le temes o le odias. Y la segunda es que para poder amar a alguien, tienes que estar cien por ciento de acuerdo con todo lo que hace. Las dos son tonterías. No tienes que transigir en las convicciones para mostrar compasión. – Phil Robertson, "Duck Commander"

L a verdad es inquebrantable, y también lo es la gracia. Hay **suficiente gracia** para la adolescente que se hiere, la mama gritona, el universitario drogado, y la hermana adicta. Hay **gracia sobre gracia** para el que tiene ochenta años y muchos remordimientos y la niña impaciente de tres años. **Gracia sin comparación** para la casa desordenada, la grama no cortada, el esposo frustrante, la alfombra manchada, y el corazón roto. **Gracia inmerecida** para el matrimonio quebrantado, el jefe exigente, la profesora irrazonable, y el conductor enojado.

Todos anhelamos ese tipo de gracia inquebrantable, sea para nosotras mismas o para un ser querido.

La verdad no hace ninguna excepción de personas. Tampoco la gracia. Pero es posible que la verdad sobre la gracia te sorprenda. **Porque la fealdad del pecado es lo que hace la verdad de la gracia tan bella.** No se puede tener una sin la otra.

Para poder estudiar las mentiras sobre la gracia, es importante entender los términos gracia y tolerancia, como Dios los define, no como las mentiras de Satanás los ha distorsionado.

Dietrich Bonhoeffer la llama gracia costosa en *El precio de la gracia*.

La gracia es cara porque le cuesta al hombre la vida, es gracia porque le regala la vida; es cara porque condena el pecado, es gracia porque justifica al pecador. Sobre todo, la gracia es cara porque ha costado cara a Dios, porque le ha costado la vida de su Hijo —habéis sido adquiridos a gran precio— y porque lo que ha costado caro a Dios no puede resultarnos barato a nosotros. Es gracia, sobre todo, porque Dios no ha considerado a su Hijo demasiado caro con tal de devolvernos la vida, entregándolo por nosotros. La gracia cara es la encarnación de Dios.[25]

¿Cómo define Dios la gracia (Rom. 3:20-24, 6:1, 14, 11:6; Ef. 2:8-9; Heb. 4:16)?

---

[25] Bonhoeffer, Dietrich. *El precio de la gracia: El seguimiento* (Salamanca: Ediciones Sígueme, 2004), 16-7.

¿Cuál es el propósito de la gracia (ej. Hch. 11:19-23, y los versículos antes mencionados)?

¿Cómo se relaciona el concepto de la tolerancia con lo que Dios llama la gracia? La palabra tolerancia se ha hecho una palabra muy popular, especialmente en promoción a una actitud que apoya una verdad relativa. La mentira: "Lo que te parece bien, está bien para ti," se ha convertido en un significado distorsionado de la gracia. Y se ha rechazado la verdad absoluta a favor de la tolerancia absoluta.

Aquí hay tres formas de ver el concepto de la tolerancia:

➤ Tolero el perro de mi vecino.
➤ Si alguien te da una bofeteada en la mejilla derecha, vuélvele también la otra (Mt. 5:39).
➤ No tolero el pecado.

Estoy segura de que Jesús toleró mucho por vivir con doce hombres por tres años. Pero, ¿Qué decidió no tolerar (entre los apóstoles o en otros)? *Menciona historias bíblicas específicas o grupos de personas con sus respectivas referencias bíblicas.*

Un buen equilibrio entre la gracia y la verdad

Jesús vino lleno de gracia y verdad (Jn. 1:14). No transgredió la verdad cuando dio gracia. Para Él, no fue una elección entre una u otra; siempre eran las dos. Encontró a las personas donde encontraban y les señaló al Padre, el Autor de la gracia y la verdad.

No podemos extender la gracia, ignorando la verdad, ni podemos promocionar la verdad, ignorando la gracia.

Desde el tiempo de los judíos y los gentiles, la gracia siempre ha sido un concepto confuso y de mucho debate. Fue uno de los enfoques principales del libro de Romanos. A primera vista, a lo largo del libro, parece que Pablo vacila entre los argumentos a favor de la perspectiva judía de la Ley, y luego a favor de cómo los gentiles apreciaron la gracia. Pero en realidad, resalta un buen equilibrio entre la ley y la gracia. Ningún extremo es saludable. Tampoco es lo que Dios diseñó.

Como Jesús, no tenemos permiso para forzar la verdad, ni para negar la gracia.

Para un ejemplo de cómo Jesús ponía la gracia verdadera en acción, balanceada con la verdad, vamos a ver la historia de la mujer sorprendida en adulterio (Jn. 8:1-11).

¿Con quién más te identificas en la historia? (No te limites a pensar sólo en el pecado del adulterio. Esta historia aplica a cualquier pecado o mentira que atrapa.)

¿Por qué los mayores soltaron sus piedras primero?

¿Cuáles fueron las últimas palabras de Jesús a la mujer?

Gracia Y verdad

El énfasis en la historia de la mujer sorprendida en adulterio es el de la gracia, pero no a costa de la verdad. ¡Qué línea más fina para caminar, un equilibrio complicado para buscar! ¿Lo podemos lograr tan perfectamente como hacía Cristo? No. ¿Pero vale la pena tratar de comunicar gracia y verdad? ¡Definitivamente!

Jesús es la personificación y el cumplimiento de la gracia y la verdad (Jn. 1:16-17). Si transgredimos el significado verdadero de la gracia o el de la verdad, estamos cambiando lo que significa Cristo en nuestras vidas.

Por lo tanto, tenemos la advertencia de no restringir ni redefinir la gracia de Dios. Tampoco podemos restringir ni redefinir la verdad de Dios.

¿Cómo se ve la gracia como Dios la describe? ¿Qué versículos bíblicos o ejemplos de la Biblia refuerzan esa definición?

¿Cómo se puede comunicar la verdad, tal como Dios quiere que lo hagamos? ¿Cuáles son los puntos importantes a recordar cuando compartimos la verdad, citados en la Palabra de Dios? (No se te olvide incluir Ef. 4:15 en la lista de versículos.)

Hablar la verdad con amor y por amor

Tengo una amiga que está lejos de Dios. Lo conocía antes. Pero ha decidido alejarse de Él y dice que no quiere nada que ver con Dios ni ninguna conversación sobre Él. Nos duele a los que la conocemos y la amamos. Anhelamos su regreso a una buena relación con el Padre. Y sabemos que le dará la bienvenida tal y como hizo para el hijo pródigo en Lucas 15. Esperamos esa fiesta en los cielos, y aquí con nosotros, cuando se arrepienta y vuelva.

Esperamos. Oramos. Buscamos oportunidades en las que podemos segur plantando y regando las semillas de su fe. Y pedimos a Dios que ponga a otras personas en su vida que hacen brillar la luz de la verdad y la gracia, así como hemos hablado en este capítulo.

Mientras esperamos, como otra amiga dijo hace poco, "Al reflexionar sobre las virtudes más poderosas que permanecen, encontradas en 1 Corintios 13 (la fe, la esperanza, y el amor), me di cuenta de algo. Ella no quiere nada que ver con mi **fe**. Mis palabras de **esperanza** suenan vacías en sus oídos. Entonces, sólo me queda la tarea de mostrarle el **amor** de Dios."

> *Esto es lo que pido en oración: que el amor de ustedes abunde cada vez más en conocimiento y en buen juicio, para que disciernan lo que es mejor, y sean puros e irreprochables para el día de Cristo, llenos del fruto de justicia que se produce por medio de Jesucristo, para gloria y alabanza de Dios.* (Fil. 1:9-11)

¿Qué papel tienen la fe, la esperanza, y el amor en las relaciones con los que necesitan la gracia y la verdad?

*Siempre que oramos por ustedes, damos gracias a Dios, el Padre de nuestro Señor Jesucristo, pues hemos recibido noticias de su **fe** en Cristo Jesús y del **amor** que tienen por todos los santos a causa de la **esperanza** reservada para ustedes en el cielo. De esta **esperanza** ya han sabido por **la palabra de verdad**, que es el evangelio que ha llegado hasta ustedes. Este evangelio está dando fruto y creciendo en todo el mundo, como también ha sucedido entre ustedes desde el día en que supieron de la **gracia** de Dios y la comprendieron plenamente.* (Col. 1:3-6)

Fíjate en la relación entre la fe, la esperanza, y el amor relacionados con la gracia y la verdad en Colosenses 1. ¿Qué verdad resalta Pablo como la de alta importancia?

 ¿Cómo compartirías la gracia y la verdad del evangelio con otra persona?

El gran debate entre la gracia y la verdad

 ¿Cuál te cuesta más dar a otros: la gracia o la verdad? ¿Por qué?

¿Cuál te cuesta más aceptar en tu propia vida: la gracia o la verdad? ¿Por qué?

 ¿Se te hace más fácil extender la gracia a ti misma o a otros? ¿Por qué?

 ¿Tenemos permiso para cambiar nuestra respuesta: sólo extender la gracia a quienes pensamos que la merezca o esconder la verdad de quienes pensamos que no estén dispuestos a escucharla?

Saber cuál es mi responsabilidad

No puedo forzar a nadie aceptar la verdad. Y tampoco puedo hacer que nadie acepte la gracia.

 ¿Qué nos explica la historia en Ezequiel 33:1-9 sobre las advertencias que damos de la verdad y nuestra responsabilidad?

Marca las cosas que sí son la responsabilidad del atalaya. Y tacha las cosas por las cuales NO es responsable.

___ Ver si viene el enemigo.

____ Dejar que otros miren por él.

____ Sonar la alarma.

____ Sólo advertir a sus amigos y familia.

____ Asegurarse de que todos se preparen por la batalla.

____ Juzgar o condenar a los que no obedecen la advertencia.

____ Regocijarse con los que obedecen la advertencia.

____ Lamentarse por los que no obedecen la advertencia.

¿Qué otros comentarios u observaciones se puede hacer sobre lo que es y no es el papel del atalaya?

Reflexión personal: ¿Qué hay de ser un atalaya en nuestras propias vidas…? ¿O es que hemos caído en la trampa de las mentiras de Satanás y llegado a ser tolerantes con nuestro propio pecado?

Un ejemplo de gracia, rechazado y aceptado

Cuando yo estaba en la secundaria, no tenía muchos amigos y los que tenía, no me invitaron a salir con ellos. Los que estaban fumando marihuana sabían que no estaba de acuerdo. Y los que hurtaban en tiendas sabían que yo no iba a participar. A los tramposos no les gustaba verme estudiar porque no les permitía copiar mi tarea. Pues, me entiendes…

En ningún sentido era yo una adolescente perfecta. Puedes preguntar a mis padres sobre mi orgullo, a mis hermanas de mis palabras mandonas, o a mis amigas sobre la actitud farisaica que tenía. (Si no conoces esa actitud, puedes ver el ejemplo del hermano mayor en Lucas 15.)

Sin embargo, cuando tenía como catorce años, me sorprendió cuando una chica se me acercó, mientras que las dos esperamos el autobús una mañana en octubre. De la nada, me pidió ayuda para dejar de soltar palabrotas.

"Tú no dices ninguna grosería y quiero saber cómo lo haces. Me meto en tantos problemas con mis padres porque no puedo dejar de <#*?!> soltar palabrotas. ¡Ve! Lo acabo de hacer hablando contigo sin darme cuenta."

"Pero sí te diste cuenta," respondí. "Lo captaste justo después de soltarla. Tenemos que trabajar para que te des cuenta antes de decirla en vez de después y así podrás dejar de hacerlo."

"Se me hace más fácil cuando estoy hablando contigo porque sé que tú no hablas así. Me hace pensar más en lo que voy a decir."

Durante las siguientes semanas, decidimos sentarnos juntas en el autobús y conversar. Cuando ella soltaba una palabrota, aún después de llegar a la escuela, le diría una palabra en clave que ya habíamos cuadrado para que ella recordara su compromiso a cambiar.

Poco tiempo después, mi familia se mudó a otro vecindario. La chica y yo perdimos contacto porque ya no íbamos en el mismo autobús y no tuvimos más clases juntas.

Me gustaría pensar que esa palabra en clave y nuestra amistad le sirvieron a lo largo de su vida cuando batalló con soltar palabrotas u otros desafíos que se le hayan presentado. Sé que nuestra amistad me bendijo grandemente.

➤ Aprendí que mi ejemplo silencioso decía mucho.

> ➤ Aprendí que está bien pedir ayuda o ser una ayuda para otra.
> ➤ Aprendí que todas necesitamos a una amiga que nos anima a ser la mejor versión de nosotras mismas.
> ➤ Y aprendí que una actitud juzgadora detiene a otros, pero la conversación abierta en una relación puede marcar una diferencia.

Al comenzar mis años en la universidad y conocer a otras chicas que tenían metas y convicciones similares a las mías, reflexioné sobre mis años en la secundaria y la falta de invitaciones a participar con las chicas "populares." Había hecho las paces con la situación, y con ellas. Noté que mi presencia misma causaba una sensación de condenación, por mi falta de participación y el silencioso desacuerdo. Sin embargo, me di cuenta de que causé mayor impacto a raíz de la relación que empecé a llevar con ellas.

¿Cómo hacía Jesús para que Su presencia fuera acogedora sin mostrar una actitud de condenación al no aprobar sus acciones?

"No les importa cuánto sabes hasta que sepan cuánto amas." Esta expresión común afirma **la importancia de una relación cuando consideramos los conceptos de gracia, verdad, tolerancia, e intolerancia.**

 ¿Cuáles son algunas mentiras asociadas con la gracia, la verdad, la tolerancia, y la intolerancia? Llena los blancos en este Cuadro de Mentira/Verdad:

RECONOCER la mentira (en tus propias palabras)	REEMPLAZAR la mentira con la verdad (en tus propias palabras)	RECORDAR la verdad (referencia bíblica)
1. Tengo que estar de acuerdo contigo en todo para ser tu amiga.		
2. Hay grados de severidad del pecado.		"Porque el que cumple con toda la ley pero falla en un solo punto ya es culpable de haberla quebrantado toda." **Sant. 2:10**
3. Mi amiga es "una buena persona."		"Así está escrito: No hay un solo justo, ni siquiera uno; pues todos han pecado y están privados de la gloria de Dios." **Rom. 3:10, 23**
4. La gracia hace que todo sea "gris." (no blanco y negro)		

RECONOCER	REEMPLAZAR	RECORDAR
5. Puedo hacer lo que me de la gana porque la gracia de Dios me cubrirá.		"¿Qué concluiremos? ¿Vamos a persistir en el pecado, para que la gracia abunde? ¡De ninguna manera!." Rom. 6:1-2a
6.	Si minimizamos el pecado, minimizamos la gracia.	
7. Soy responsable por las decisiones de otros.	Puedo hablar la verdad con amor, pero la otra persona tiene el libre albedrío para tomar su propia decisión.	
8. Esa persona no merece la gracia.	Yo no merezco la gracia.	"Porque por gracia ustedes han sido salvados mediante la fe; esto no procede de ustedes, sino que es el regalo de Dios, no por obras, para que nadie se jacte." Ef. 2:8-9

RECONOCER	REEMPLAZAR	RECORDAR
9.		

Vamos a concluir con una comparación y contraste entre dos historias que directamente hablan de las mentiras sobre la gracia.

Un año de gracia vivida

¿Alguna vez has tenido un vecino molesto? Alexandru sí. Un cristiano en Rumania, ya perseguido por su fe, llegaba a casa cansado todos los días y, al llegar, encontraba la basura de su vecino frente a su casa. Todos los días por un año, Alex recogió la basura y siguió su vida, tratando de vivir en paz con todos en cuanto dependiera de él (Rom. 12:18).

Después de que pasó el año, el vecino de Alexandru se le acercó y le dijo, "No entiendo. Todos los días riego mi basura frente a tu casa y no me dices nada. ¿Cómo toleras lo que te hago?"

"Porque sirvo a un Dios que me dice que no debo buscar pelea con otro, que no debo pagar a nadie mal por mal."

"¿Qué tipo de Dios sirves? Yo quiero servir a ese mismo Dios."

"Te invito a mi casa. Tengo una Biblia. Y te mostraré el Dios que sirvo."

Alex vivió su fe al extender la gracia, y le dio buenos resultados con el vecino, abriendo una puerta para compartir las buenas nuevas con él. ¡Qué tremendo testimonio sin usar ni una palabra!

Sin embargo, como hemos resaltado en este capítulo, no siempre sabemos cómo otros van a recibir la gracia. Tampoco tenemos una fórmula perfecta de cómo y cuándo dar gracia. En la siguiente historia, por ejemplo, la gracia significó marcar una línea a no cruzar, en vez de dar la otra mejilla (Mt. 5:39).

Permiso a ser intolerante

Mi mamá siempre odiaba el humo del cigarrillo. Entonces, cuando la vecina de en frente le soplaba el humo directo en su cara, junto con su rechazo a la invitación de mi mamá para un estudio bíblico en el vecindario, mi mamá ya no quería invitarla más. Después de unos años de invitaciones abiertas y rechazos llenos de humo, mi mamá la dejó de invitar. Por supuesto, ese fue el año en que Jackie le tocó la puerta a mi mamá para invitarse al estudio bíblico.

Dios hizo una transformación maravillosa en las vidas de todos los que vivían en esa casa. Mis padres estudiaron la Biblia con Jackie y su esposo, Ted. Tenemos una cantidad de historias del tiempo que pasamos juntos entre familias. Llegamos a ser buenos amigos y lo compartimos todo, hasta en las vacaciones y las grandes comidas anuales, como la Pascua y el día de acción de gracias.

Unos quince años después, ya no eran vecinas pero mi mamá y Jackie siguieron en contacto como hermanas en Cristo y amigas. Así que cuando Jackie y su hijo menor, Aarón, se encontraron en un tiempo difícil, llegaron a vivir con mis padres en otro estado por un tiempo.

Tal como hablamos en el capítulo 10, "Mentira: Dios me está castigando por mi pasado," Jackie estaba libre de la culpa y el castigo, pero, desafortunadamente, ella y la familia seguían sufriendo el efecto negativo de los pecados de otros y las consecuencias de las malas decisiones anteriores.

Aarón ya medía casi dos metros de altura y pesaba más de 110 kilos (250 libras). Llevaba un collar de clavos y los aretes de huecos grandes, y se vestía sólo de negro. Nada de eso ablandaba su imagen ni hacía nada para cubrir sus inseguridades. Sólo intensificaban sus palabras cuando atacaba a mi mamá verbalmente, faltándole el respeto, y haciendo demandas que estaban más allá del alcance de la generosidad de mis padres.

"Sus palabras con tanta falta de respeto hacían que mi corazón me latiera muy fuerte en el pecho, y me ponían muy nerviosa."

Después de la primera vez, le extendió gracia, tratando de verlo más allá del dolor que estaba proyectando como adolescente atormentado. Pero después de una segunda y tercera vez, mi mamá se vio afectada más y más por sus palabras y acciones. Él estaba en una espiral y estaba causando problemas y complicaciones innecesarios para mis padres.

Consultaron a un anciano y un diácono de la iglesia, y luego de mucha oración, decidieron que tenían que marcar la línea. Querían seguir mostrándole gracia, pero no podían tolerar su comportamiento, especialmente el abuso verbal y la falta de respeto a mi mamá.

Jackie siguió en la casa unos días más, pero Aarón ya no era bienvenido en su casa. Durante ese tiempo, lucharon con las mentiras sobre la gracia, pero llegaron a reconocer la mentira específica: "La gracia significa que tengo que ser tolerante."

Gracias a Dios, las oraciones, el amor, la gracia, y la verdad que Aarón recibió de mis padres, su mamá, y muchos otros, le llevaron a una transformación de vida. Años después del incidente mencionado, contactó a mis padres para pedirles perdón por sus palabras, su comportamiento, y su falta de respeto. Les dio las gracias por la gracia y el amor que le mostraron.

Damos gracias a Dios por la manera en la que la historia de Aarón terminó y se sigue escribiendo. Muchas veces no tenemos el privilegio de saber cómo sale todo. No conocemos el resto de la historia de la mujer sorprendida en adulterio, por ejemplo (Jn. 8). Y otras historias en este mismo capítulo de *¿Quién tiene la última palabra?* nos dejan con la anticipación de lo desconocido...

Así como el atalaya en la torre suena la señal de peligro y deja que otros tomen su propia decisión, no tenemos control sobre la voluntad propia de otros.

No hay fórmula perfecta para saber cuánta gracia le debemos dar, o cuándo ser intolerante y marcar la línea contra el pecado. Las oraciones por sabiduría son imprescindibles al buscar humildemente la voluntad de Dios y Su corazón, al interactuar con otros.

La gracia y la verdad. No es la una o la otra. Mientras seguimos recibiendo la gracia, debemos de servir como conductores, canal de la misma gracia a otros. Y cuando tenemos el conocimiento de la verdad, se nos llama a ser intolerantes con el pecado, sin ignorar el amor y la gracia con los que hablamos y compartimos esa verdad. "Sea vuestra palabra siempre con gracia, sazonada con sal, para que sepáis cómo debéis responder a cada uno" (Col. 4:6, RV60).

Elementos Comunes:

Dado que es la última oportunidad de compartir en los Elementos Comunes, permíteme recordarnos una verdad mayor que hemos resaltado a lo largo del libro: **La gracia abundante de Dios nos cubre mientras luchamos con las mentiras.** Y Su verdad intransigente nos libra del obstáculo de esas mentiras. **El Dios de gracia y verdad nos redime, bendiciéndonos con la vida abundante que nos ofrece, llena de fe, esperanza, y amor.** ¿Cuáles son algunos pasos personales y prácticos que puedes tomar, apoyada por tus Hermanas Rosa de Hierro, vistos en los Elementos Comunes?

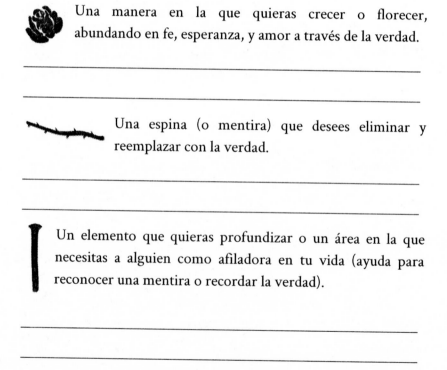

Una manera en la que quieras crecer o florecer, abundando en fe, esperanza, y amor a través de la verdad.

_____

_____

Una espina (o mentira) que desees eliminar y reemplazar con la verdad.

_____

_____

Un elemento que quieras profundizar o un área en la que necesitas a alguien como afiladora en tu vida (ayuda para reconocer una mentira o recordar la verdad).

_____

_____

Un versículo que habla directamente a una mentira mencionada en este capítulo.

_____

_____

Conclusión:
Dar a Jesús la última palabra

●Llegaste! ¡Felicitaciones! Sé que no ha sido un camino fácil.
Cuando Satanás sabe que le estamos llamando el mentiroso que
es, no se queda contento ni quieto. Comienza a luchar con una
intensidad que nos puede dejar débiles y heridas.

¿Pero las buenas nuevas? ¡Satanás no tiene la última palabra!

Podemos elegir. Y le pido a Dios que a través de este estudio
interactivo de la Biblia, hayas obtenido algunas herramientas para
dar a Dios la última palabra. Son herramientas con las cuales
puedes reconocer las mentiras, reemplazarlas con la verdad, y
recordar la verdad a través de la Palabra de Dios.

Como nuestro Mediador e Intercesor, vamos a dar a Jesús el
argumento final y permitir que la Palabra de Dios sea la última
palabra en la que descansamos por amor, a la que nos aferramos
por esperanza, y en la que diariamente ponemos nuestra fe.

No estás en esta lucha espiritual sola. He orado por cada una de
Uds. y espero que hayas hecho este estudio en el contexto de un
grupo pequeño, con tus Hermanas Rosa de Hierro, quienes te han
llevado al Padre, así como en el ejercicio en el capítulo 6.

Como un recordatorio final de cada capítulo, te he dado un último Cuadro de Mentira/Verdad con la mentira principal de cada capítulo y un versículo clave con el que puedes recordar la verdad. Te animo a reemplazar la mentira con la verdad en tus propias palabras. Una copia de este Cuadro de Mentira/Verdad está disponible en nuestra página web (www.HermanaRosadeHierro.com), y una versión en blanco como en la página 295 de este libro. Lo puedes aprovechar como referencia cuando Satanás te ataca.

Gracias por acompañarnos en este camino hacia la verdad y por decidir dar a Dios la última palabra en tu vida.

"Que la gracia del Señor Jesucristo, el amor de Dios y la comunión del Espíritu Santo sean con todos ustedes" (2 Cor. 13:14) al vivir la vida abundante que Él ofrece. Amén.

RECONOCER la mentira (en tus propias palabras)	REEMPLAZAR la mentira con la verdad (en tus propias palabras)	RECORDAR la verdad (referencia bíblica)
Capítulo 6, Mentira: Estoy sola		"Estaré contigo; no te dejaré ni te abandonaré." Jos. 1:5b
Capítulo 7, Mentira: La felicidad es lo máximo		"Más bien, busquen primeramente el reino de Dios y su justicia, y todas estas cosas les serán añadidas." Mt. 6:33

RECONOCER	REEMPLAZAR	RECORDAR
Capítulo 8, Mentira: Lo tengo que hacer yo sola		"Y yo le pediré al Padre, y él les dará otro Consolador para que los acompañe siempre: el Espíritu de verdad, a quien el mundo no puede aceptar porque no lo ve ni lo conoce." Jn. 14:16-17a
Capítulo 9, Mentiras que creemos cuando estamos desanimadas		"Al sentir que se me iba la vida, me acordé del Señor, y mi oración llegó hasta ti, hasta tu santo templo." Jon. 2:7
Capítulo 10, Mentira: Dios me está castigando por mi pasado		"Tan lejos de nosotros echó nuestras transgresiones como lejos del oriente está el occidente." Sal. 103:12
Capítulo 11, Mentira: No soy suficiente		"pero él me dijo: «Te basta con mi gracia, pues mi poder se perfecciona en la debilidad.» Por lo tanto, gustosamente haré más bien alarde de mis debilidades, para que permanezca

		sobre mí el poder de Cristo." **2 Cor. 12:9**
RECONOCER	**REEMPLAZAR**	**RECORDAR**
Capítulo 12, Mentiras de naturaleza sexual		"Huyan de la inmoralidad sexual. Todos los demás pecados que una persona comete quedan fuera de su cuerpo; pero el que comete inmoralidades sexuales peca contra su propio cuerpo." **1 Cor. 6:18**
Capítulo 13, Mentiras sobre la gracia		"Y el Verbo se hizo hombre y habitó entre nosotros. Y hemos contemplado su gloria, la gloria que corresponde al Hijo unigénito del Padre, lleno de gracia y de verdad." **Jn. 1:14**

Notas

La Torta de las Papas de Idaho[26]

1 taza de mantequilla, derretida

2 tazas de azúcar

2 huevos

1 taza de puré de papas, fría

1 cucharadita de vainilla

2 tazas de harina de trigo, todo uso

1/4 taza de cacao en polvo

1 cucharadita de bicarbonato

1 taza de leche descremada

1 taza de nueces (opcional)

---

[26] Capper, Arthur, pub., "Idaho Potato Cake," *Capper's Weekly.* Topeka, Kansas, 1913-1986. (unknown published date of original recipe)

En un tazón, mezcla la mantequilla y el azúcar muy bien. Agrega los huevos, uno a la vez, mezclando bien. Agrega el puré de papas y la vainilla.

Combina la harina, el cacao, y el bicarbonato. Agrega alternamente con la leche, mezclando bien.

Añade los nueces (opcional).

Pon en un molde de vidrio (9x13). Hornea 40 a 45 minutos a 350 grados F (175 grados C).

Recursos sobre la Depresión del Instituto Nacional de Salud Mental[27]

Según el Instituto Nacional de Salud Mental, "No todas las personas con enfermedades depresivas padecen los mismos síntomas. La gravedad, frecuencia, y duración de los síntomas pueden variar según la persona y su enfermedad en particular."

Los síntomas incluyen:

➤ Sentimientos persistentes de tristeza, ansiedad, o vacío
➤ Sentimientos de desesperanza y/o pesimismo
➤ Sentimientos de culpa, inutilidad, y/o impotencia
➤ Irritabilidad, inquietud
➤ Pérdida de interés en las actividades o pasatiempos que antes disfrutaba, incluso las relaciones sexuales
➤ Fatiga y falta de energía
➤ Dificultad para concentrarse, recordar detalles, y para tomar decisiones

---

[27] https://www.nimh.nih.gov/health/publications/espanol/depresion/index.shtml

> ➢ Insomnio, despertar muy temprano, o dormir demasiado
> ➢ Comer excesivamente o perder el apetito
> ➢ Pensamientos suicidas o intentos de suicidio
> ➢ Dolores y malestares persistentes, dolores de cabeza, cólicos, o problemas digestivos que no se alivian incluso con tratamiento

Cuando cuatro o más de estos síntomas están presentes por más de dos semanas, se recomienda una consulta con un médico profesional.

¿Cómo puedo ayudar a un ser querido que está deprimido?

Si conoce a alguien que está deprimido, esto también le afecta a usted. Lo primero y más importante que puede hacer para ayudar a un amigo(a) o familiar con depresión es ayudarlo(a) a conseguir un diagnóstico y tratamiento adecuados. Tal vez necesite pedir una cita a nombre de su amigo(a) o familiar y acompañarlo(a) a ver al médico. Anímelo(a) a no abandonar el tratamiento o a que busque un tratamiento diferente si no se ven mejorías al cabo de seis a ocho semanas.

Para ayudar a un amigo(a) o familiar:

> ➢ Ofrézcale apoyo emocional, comprensión, paciencia, y animo.
> ➢ Entable una conversación con su amigo(a) o familiar y escúchelo(a) con atención.
> ➢ Nunca desacredite los sentimientos que su amigo(a) o familiar manifieste pero señale las realidades y ofrezca esperanza.
> ➢ Nunca ignore los comentarios acerca del suicidio y

comuníquelos a los familiares, terapeuta, o médico de su amigo(a) o familiar.

➢ Invite a su amigo(a) o familiar a hacer caminatas, excursiones, y otras actividades. Aunque él o ella se nieguen, siga intentándolo, pero no lo(a) presione a hacer demasiadas cosas demasiado pronto. Aunque las distracciones y la compañía son necesarias, demasiadas exigencias pueden aumentar los sentimientos de fracaso.

➢ Recuérdele a su amigo(a) o familiar que con el tiempo y con tratamiento, la depresión pasará.

¿Cómo puedo ayudarme a mí misma si estoy deprimida?

Si usted tiene depresión, seguramente se siente exhausto, indefenso, y desesperanzado. Hacer algo para ayudarse puede ser extremadamente difícil. Pero es importante que se dé cuenta de que estos sentimientos son parte de la depresión y no reflejan con exactitud las circunstancias reales. A medida que usted comience a reconocer su depresión y comience con un tratamiento, el pensamiento negativo desaparecerá.

Para ayudarte a ti misma:

➢ Comience a practicar actividades o ejercicios físicos moderados. Vaya al cine, a algún juego de pelota, o a algún otro evento o actividad que solía disfrutar. Participe en actividades religiosas, sociales, o de otro tipo.

➢ Asígnese metas realistas.

➢ Divida las tareas grandes en tareas pequeñas, establezca algunas prioridades, y haga lo que pueda cuando pueda.

➢ Trate de pasar tiempo con otras personas y elija un amigo(a) o familiar de confianza como confidente. Trate de no aislarse y deje que los demás lo ayuden.

➤ Espere que su ánimo mejore poco a poco y no de inmediato. No espere salir de su depresión con un "abrir y cerrar de ojos". Frecuentemente, durante el tratamiento de la depresión, el sueño y el apetito comenzarán a mejorar antes de que su estado de ánimo deprimido desaparezca.

➤ Aplace las decisiones importantes, tales como contraer matrimonio, divorciarse, o cambiar de empleo, hasta que se sienta mejor. Hable sobre decisiones con otras personas que lo conozcan bien y tengan una visión más objetiva de su situación.

➤ Recuerde que los pensamientos positivos reemplazará los pensamientos negativos a medida que su depresión responda al tratamiento.

Recursos adicionales sobre la depresión, con referencias bíblicas

Qué decir y qué NO decir a alguien luchando con la depresión

NO decir: ¿Por qué no quieres hacer nada?

SÍ decir: ¿Te gustaría salir a caminar conmigo? (u otra invitación sencilla a la cual no te ofenderías si hay rechazo)

NO decir: Es una tontería. Ya debes estar mejor.

SÍ decir: **Te amo y lamento que estés pasando por esto.**

NO decir: ¡Sal de allí! ¡Anímate!

SÍ decir: **No estás sola.**

NO decir: Es que tu fe está débil.

SÍ decir: **Me cuesta verte sufriendo tanto y ojalá te pudiera quitar el dolor, pero estoy aquí para recordarte la esperanza que tenemos en Dios, que Él es más grande, y que las cosas sí van a mejorar.**

NO decir: Tienes que orar más y confiar más.

SÍ decir: **Estás en mis oraciones y reconozco que no es solamente una batalla espiritual, sino también una batalla física, mental, y emocional.**

La depresión y el desánimo en la Biblia

¿Se habla de la depresión en la Biblia? ¡Claro que sí! Ya mencionamos algunos ejemplos en el capítulo 9: "Mentiras que creemos cuando estamos desanimadas," pero agregamos más ejemplos de quienes enfrentaron un tiempo de depresión o un desánimo fuerte. Para más reflexión sobre los siguientes ejemplos bíblicos, te animo a hacer preguntas como:

- ➤ ¿Qué causó su depresión o desánimo?
- ➤ ¿Cómo salieron de ella? ¿Lo hicieron a solas?
- ➤ No es una lista exhaustiva. ¿En quién más puedes pensar?

Ejemplos bíblicos de la depresión y el desánimo

- ➤ Elías ~ 1 Reyes 19
- ➤ Josué ~ Josué 1:9
    - o Causado por el temor
- ➤ Pablo ~ 2 Corintios 12:7-10
    - o Su aguijón: no sabemos exactamente cuál fue
- ➤ David ~ 2 Samuel y Salmo 51
    - o Causado por su culpa (adulterio) y la enfermedad de su hijo
- ➤ Los discípulos ~ Lucas 24:36-49, Juan 20:19-20
    - o Hasta que llegó Jesús (Hechos)
- ➤ Ana ~ 1 Samuel 1
    - o Anhelaba un hijo
- ➤ Rut versus Noemí ~ Rut 1

- o Amargura de alma
- o Noemí hasta pidió que le llamaran Mara (amargada)
- ➤ Pedro versus Judas ~ Mateo 26 a 28
  - o Mateo 26:14-16, 47-50, 69-75, 27:3-10, Hechos

Conquistando y superando el desánimo

- ➤ Mas que vencedores ~ Romanos 8:37-39
- ➤ El Espíritu Santo mora en ti ~ Hechos 2:38
  - o La depresión NO es un demonio que mora en uno
- ➤ En las pruebas ~ Job (Job 1:20-22)
- ➤ Reconociendo la voluntad de Dios
  - o Jesús en Getsemaní (Mateo 25:36-46)
- ➤ Reconociendo la fuerza de Dios
  - o David y Goliat (I Samuel 17)
- ➤ Dios es luz en las tinieblas ~ Salmo 112:4
- ➤ Nos levanta ~ Efesios 5:13-14
- ➤ Caminar por fe y no por vista ~ 2 Corintios 5:7
- ➤ Ver lo espiritual, no lo físico ~ 2 Corintios 4:16-18
- ➤ Mantener los ojos puestos en Jesús ~ Hebreos 12:2

¿Qué te anima, te fortalece, te da gozo?

- ➤ Cantar ~ Efesios 5:19
- ➤ Dar gracias ~ Efesios 5:20
- ➤ Orar / Suplicar ~ Efesios 6:18; Santiago 5:13
- ➤ Ponerte la armadura ~ Efesios 6:10-17
- ➤ Recordar las promesas de Dios ~ Isaías 41:10
- ➤ Trabajar por el Señor ~ Esdras 10:4
- ➤ El amor: dado y recibido ~ 1 Juan 4:7-12

- ➢ Animar a otros ~ Hebreos 10:23-26
- ➢ Regocijarse ~ Filipenses 4:4, Santiago 1:3
- ➢ Predicar ~ Filipenses 1:14, 2 Timoteo 4:17
- ➢ Escuchar a Dios ~ Daniel 10:15-19
- ➢ Escuchar a Jesús, "ten ánimo" ~ con sanación, miedo y perdón ~ Mateo 9:2, 22; 14:27 y otros
- ➢ Ver a Dios en mí ~ 1 Juan 4:4
- ➢ Consolación ~ 2 Corintios 1:3-7
- ➢ Firmeza de Dios ~ Salmo 31:1-5

Otros versículos de ánimo

- ➢ 1 Crónicas 28:20
- ➢ Lamentaciones 3:19-24, 33, 55-57
- ➢ Efesios 3:14-21
- ➢ 2 Corintios 4:7-12, 16-18
- ➢ Isaías 61:1-4
- ➢ Juan 3:14-15
- ➢ Romanos 8:18, 15:13
- ➢ Nehemías 8:10 ~ el gozo del Señor

La historia de Libby

Si una araña hiciera su telaraña en una línea recta, pocos insectos caerían en la trampa para ser devorados por la araña. Aunque Dios nos da límites claros, por medio de Su palabra, para evitar el pecado y vivir la vida abundante, **Satanás teje una telaraña de mentiras por la cual se nos hace más fácil caer en las zonas "grises.** A veces esa telaraña toma mucho tiempo, creciendo más ancha con cada mentira nueva, haciendo que aumente la posibilidad de que, de repente, los hijos de Dios nos encontremos luchando en la trampa pegajosa, mientras que Satanás se acerca para devorarnos. **Satanás me persiguió por muchos años, tejiendo una telaraña de mentiras especialmente para mí que, por un tiempo, me quitó mi valor propio.**

Hasta que me gradué de la universidad, mi vida iba en la dirección "correcta." Trabajé duro en la universidad, y el día de mi graduación caminé alegremente sobre el suelo del gimnasio para recibir mi diploma. Pocos días después, subí a un avión para viajar a Honduras como había hecho por los últimos años durante los descansos de clases. Era la chica con la mentalidad misionera y corazón de sierva, la que siempre iba a los cultos de la iglesia. No quiero decir que era, ni que soy, una persona sin pecado. Al contrario, lucho con el pecado igual que todos, pero nunca sentía que Satanás tuviera control completo sobre mi corazón, impidiendo la vida que quería y imaginaba para mi futuro. Al ver atrás, **puedo ver que Satanás me halaba poco a poco, relación por relación. Y antes de darme cuenta, ni yo misma me reconocía.**

Un poco antes de graduarme de la universidad y mudarme a Honduras (hasta que la inestabilidad política me hizo regresar a casa), conocí a un hombre a quien le llamé la atención. Me sentí emocionada porque eso no me pasaba mucho. En los años de la escuela secundaria, no salía con nadie. Nadie me buscaba tampoco, y por lo tanto, **comencé a sentirme indeseable. A veces dejaba que ese pensamiento me consumiera, y así Satanás empezó a sembrar semillas de duda sobre mi propio valor.** Al principio, no me di cuenta de cómo mis pensamientos estaban cambiando, hasta que me encontré en medio de una relación. **Mentira número 1: "Mi valor viene de los hombres.**"

Mientras estudiaba en la universidad, tenía una relación de lejos e indefinida con un chico cristiano. Durante esa relación muy ambigua, sentí que mi corazón se quebraba en maneras que luego me hicieron no proteger mi corazón. El hombre con quien salía, nunca quiso definir nuestra relación. En público, parecíamos los mejores amigos. Estábamos muy felices y juguetones. Lo adoraba, y él, obviamente, era cariñoso conmigo. Mucha gente decía que debíamos ser novios, y nos animaban así. En privado, disfrutábamos de nuestra compañía, y cruzábamos muchos límites físicos que no debíamos, aunque nunca tuvimos sexo. Muchas veces le pedí que definiera nuestra relación de una forma que todo el mundo entendiera: novios. Pero él siempre tenía una excusa para esperar definirla, y yo ciegamente aceptaba cada una. **Yo no** quería soltar la relación aunque hubiera sido mejor alejarme de él. Tenía miedo dejarlo a él por temer que no había algo (o alguien) mejor para mi. La última vez que estuvimos separados por la distancia, él encontró a una novia nueva y orgullosamente hizo alarde de su relación con ella. Yo estaba desolada. Había sido su novia en secreto; él no tenía orgullo suficiente de mí, para hacer alarde de nuestra relación. ¿Estaba apenado de mi? ¿O simplemente se aprovechó de mí? Ahora, Satanás aprovechó la oportunidad para robarme la confianza en mí misma. **Mentira número 2: "Ningún hombre estaría orgulloso de tenerme a su lado.**

Esa relación fue un catalizador por la manera en que me comporté en mis relaciones siguientes. Tal vez el resultado más triste de esa relación fue que me hizo pensar que no hay una diferencia en salir con hombres cristianos y con hombres que no son cristianos. Me puse a pensar que si un hombre "entregado a Dios" me pudiera tratar así, todos son capaz de tratarme mal. Entonces, ¿qué importa si el hombre es cristiano o no? Así que Satanás sembró otra mentira en mi mente. **Mentira número 3: No hay problema en encontrarme en una relación con alguien que no comparte mi fe ni mis creencias.**

Adelantemos otra vez, volvamos al hombre a quién le interesaba al final de mis estudios en la universidad. Él tenía muchas cualidades que yo buscaba. Era estudioso, trabajando en su maestría. Venía de una familia con muchos valores iguales a la mía. Era pensativo y me pareció guapo, entre otras cosas. Creció en una familia católica, pero no practicaba su fe muy seguido. De lo que pude ver, él no buscaba una relación con Dios. Aquí es dónde debía de haber dejado todo con él. Pero, ¡espera! ¡Aquí estaba yo, puesta precisamente en su camino para ser un ejemplo del amor de Dios para él! ¡Claro! Era verdad: hubiera podido ser una gran amiga cristiana para él. Pero, ¿qué hice? Reprimí las ganas de verlo perseguir una relación con Dios, para que yo pudiera perseguir un relación romántica con él. Más vergonzoso, justifiqué mis acciones en vez de cambiarlas. Él creía en Dios. Él conocía a Jesús como el Hijo de Dios y nuestro Salvador. Entonces, yo no tenía que empezar de cero. El fundamento estaba allí para desarrollar el lado espiritual de nuestra relación. Sin embargo, honestamente, no estaba poniendo fuerzas para desarrollar ese lado. De hecho, temía que con hablarle de la salvación y cosas más profundos de la fe, se alejaría. Ansiaba la atención de un hombre, luego en nuestra relación, me rendí a la tentación física. Abandoné mis convicciones y empecé a tener relaciones sexuales con él.

Después de cruzar esa línea física con él, me aferraba a nuestra relación. Sentí una obligación de quedarme con él, incluso cuando me di cuenta de que él no era una persona con quien debía construir mi futuro. No quería confesar que el tener sexo con él fue un gran error. Quería que las relaciones sexuales con él significaran algo, amor tal vez. Qué ingenua era. Me da pena decirlo: ese pensamiento lo tuve siendo una adulta educada y licenciada. Sin embargo, esa relación se terminó cuando mi novio se graduó y se fue para su país. Nada de lo que yo había hecho pudo convencerlo de quedarse conmigo. **Mentira número 4: "Tener sexo salvará mi relación.**

Unos años después, me encontré viviendo en una nueva ciudad. Vi la transición como una nueva oportunidad. No tenía intenciones de resignarme a las fiestas ni a una vida loca, pero quería nuevas experiencias, nuevas relaciones, y nuevas amistades. Estaba muy emocionada por explorar un nuevo lugar y conocer mucha gente diferente, lo cual mi trabajo nuevo me permitía. Al llegar a la ciudad, busqué una iglesia enseguida, y empecé a asistir a un estudio bíblico para mujeres más o menos de mi edad. Me establecí en mi nuevo hogar. Un poco después de mudarme, conocí a un hombre y empezamos a pasar mucho tiempo juntos. Nuestra relación avanzó rápidamente, y no hice mucho para retrasarla. **Todas las mentiras que Satanás tejía para mi por medio de cada relación anterior, por fin se agravaron.** Sin darme cuenta, las creía. Había dejado de proteger mi corazón porque no vi el valor en hacerlo. No pasó mucho tiempo antes de que me encontrara en el mismo lugar donde estuve con mi novio anterior, pero ahora las consecuencias eran mucho más grandes.

Hay consecuencias del pecado que afectan a una persona pero de las demás no nos damos cuenta. Eso era cierto para mi, hasta que salí embarazada. Antes de salir embarazada, asistía a la iglesia muy seguido, también asistía al estudio bíblico de mujeres. **Muchas veces me encontré enfrentada con la verdad por los temas de los estudios y los versículos que leímos, especialmente en el ambiente íntimo de un estudio pequeño para mujeres, pero no dejaba que la verdad cambiara mis acciones.** A lo mejor la gente a mi alrededor se dio cuenta de que algo había cambiado en mí, pero tampoco me conocían muy bien porque llevaba poco tiempo con ellos. Sabían cosas de mí: a qué me dedicaba, donde había viajado, pero sólo era información general sobre mí.

No me permití ser vulnerable con las mujeres del estudio. No les compartí lo que estaba viviendo con mi novio, que había caído de nuevo en el mismo pecado. Al principio de la relación, tomé la decisión de no reconocer el pecado. Por eso no tuve ganas de confesarles a ellas lo que estaba pasando. Por muchos años, yo había sido "la chica buena." No quiero decir que me volví "mala," pero me di por vencida en las ganas de resistir a Satanás.

Me rendí, otra vez, y empecé a tener relaciones sexuales con mi novio después de poco tiempo de ser novios. **Siempre oraba y estudiaba la Biblia, pero ignoraba, resueltamente, la verdad con respeto al sexo.** Sabía que los hermanos de la iglesia me animarían a dejar el aspecto sexual de nuestra relación, y tal vez la relación entera. Sabía que ellos me retarían a pensar en las consecuencias (no solamente las consecuencias físicas), y considerar el lado espiritual de mi relación con este hombre. Honestamente, el lado espiritual no existió en nuestra relación. Él creía en Dios, pero, otra vez, no era alguien que vivía su fe (un tema trágico de mis relaciones).

Un poco después de comenzar la relación con él, la culpa dominaba el placer. Después de cuatro meses juntos, decidí parar la parte sexual de nuestra relación. Quería volver a estar bien con Dios. Quería paz. Entonces, le dije, "Ya no." Me sentí bien decirlo por fin, y estar entregada a renovar mi convicción. Me preocupaba no tener las fuerzas para resistir la tentación. Había hablado con él antes acerca de dejar de tener sexo, igual como hice con mi novio anterior. Pero el sexo es una ladera resbaladiza, y en las dos relaciones, siempre me encontré bajándola de nuevo. Esta vez, me dije que no podía darme por vencida. Ya había tomado el primer paso, y me sentí resuelta a cumplirlo. Esos sentimientos buenos duraron poco tiempo. Unas semanas después, me di cuenta de que estaba embarazada. El esfuerzo que hice para cambiar mis acciones, para corregir el pecado y evitar las consecuencias, llegaron tarde. Entonces, Satanás se puso a trabajar más duro en mi vida y me mandó a vivir la depresión más profunda y oscura de mi vida.

Vivía lejos de mi familia cuando salí embarazada. Así que me tocó llamar a mis padres y decirles por teléfono que estaba embarazada. No habían conocido a mi novio. Todo el mundo estaba sorprendido: mis hermanos, mis papás y mis amigos. Todos. Me conocían como la hija, la hermana, y la amiga que tenía planes para trabajar en el servicio de Dios en Centroamérica. Me sentí abrumada al pensar en enfrentarme con personas con quienes había servido en el campo misionero, personas de la iglesia donde yo crecí, los padres de ellos, maestros y compañeros de clase que había tenido. Manché mi propia reputación. Por ratos sentí un alivio por vivir lejos de mi hogar porque así no iba a verme con mucha gente que me conocía toda mi vida. Tenía tanta vergüenza.

Entonces, me puse a pensar en todas las formas en las que mi vida iba a cambiar. Todas las ideas grandes y planes que tenía para mi futuro ya me parecían inalcanzables bajo las nuevas circunstancias. Comencé a sufrir por la vida que pensaba tener. Comencé a preocuparme al revisar lo que me iba a costar criar a un hijo. No estaba preparada económicamente para traer a un hijo al mundo. Aparte de los problemas económicos, **me consumía la idea de que no era capaz de amar a mi hijo como lo merecía.** Me preocupaba estar tan vacía emocionalmente que no iba a poder encontrar el amor que mi hijo necesitaría para él estar bien emocionalmente. También, mi novio y yo teníamos muchos, pero muchos, problemas entre nosotros. La culpa y la tristeza me consumían. No había más nadie a quien echarle la culpa. Sólo yo. Me lo había hecho a mí misma.

Al mismo tiempo, estaba pasando por una crisis espiritual. Como si la situación entera no gritara: crisis espiritual, tenía un pensamiento muy específico que se repetía en mi mente por muchos meses: Dios no me salvó de las consecuencias de mis acciones, así que **comencé a dudar de que Dios tenía suficiente** gracia y misericordia para mí. Me sentía abandonada por Dios, aunque fui yo quien me alejaba de Él.

La pena y el dolor no sólo se manifestaron por la tristeza, más también por el enojo. Fue un enojo tan fuerte y tan raro para mí que me asusté a mí misma. No me reconocía. Me gustaría poder decir que cuando nació mi hijo, dejé de sentir tanta tristeza y tanto enojo para sentir más gozo y amor. Fue un tiempo feliz, sí, porque los hijos son una bendición. Pero, siempre me costó aceptar mi vida nueva.

Más o menos un mes después de que naciera mi hijo, comencé a escribir en un diario. Me sirvió para ser más honesta conmigo misma, y con Dios acerca de lo que sentía. Esto es parte de las primeras palabras que escribí:

Hoy me siento derrotada. La Biblia dice que la paga del pecado es muerte. Siempre me imaginaba una muerte física, no este deceso emocional y lento que consume, poco a poco, a la persona que era cuando vivía en la Luz. Me hace falta Honduras. Me hace falta la persona feliz, llena de confianza, que era cuando mi vida estaba definida por Cristo y no por hombres que roban pedazos de mí mientras trato de complacerlos. ¿Cómo llegué a este punto? ¿Cómo es que he vuelto a ser una persona consumida por el enojo, sin confianza y perseguida por pena y llanto? ¿Por qué no creía y no gozaba en el amor de Dios en vez de buscarlo en todas las camas equivocadas? Pero quién soltaría los rastros e ilusiones de hombres cuando se siente, o teme que 'si no intento tener una relación con él, nadie me va a querer.' Me arrepiento de no haberme parado con confianza. Me arrepiento de haber aceptado menos de lo que merecí. Me arrepiento de tratar de forzar el amor cuando ya lo tenía, en Cristo, no en hombres.

Mi diario se volvió en un diario de oraciones, y encontré paz al escribir mis pensamientos y peticiones. Tomar el tiempo para escribir me sirvió para enfocarme mejor, y mis oraciones se volvieron a parecer más a la Palabra de Dios. Apenas comencé a pasar más tiempo con Dios, Su palabra empezó a vivir en mí de nuevo, y más que en los tiempos pasados. Él me recordó, en nuestras conversaciones, de Su amor y gracia que pensé que había perdido. Encontré consuelo por muchos versículos, pero había unos que leía muy seguido:

"Ustedes quédense quietos, que el Señor presentará batalla por ustedes" (Éx. 14:14).

Mentira número 5: "Muchas veces sentía que por meterme en esta situación sola, tenía que resolver los problemas sola también." Hice pequeño a Dios y me ocupé en preocuparme. Me fijé en todas las cosas que hubiera podido hacer para cambiar mis circunstancias. Cuando por fin puse todo en las manos de Dios, una y otra vez, comencé a sentir paz. **Un tema constante en mis oraciones era: ¡TÚ ERES MÁS GRANDE! Así en mayúsculas. Tenía que acordarme de esa verdad bastante.** Soy alguien que le gusta ser activa. No me gusta quedarme quieta, pero fue como que Dios me estaba forzando a estar quieta para que Él pudiera pelear por mí.

"Porque el Señor tu Dios está en medio de ti, como guerrero victorioso. Se deleitará en ti con gozo, te renovará con su amor, se alegrará por ti con cantos" (Sof. 3:17).

"Humíllense, pues, bajo la poderosa mano de Dios, para que él los exalte a su debido tiempo. Depositen en él toda ansiedad, porque él cuida de ustedes" (1 Pe. 5:6-7).

"Por la mañana hazme saber de tu gran amor, porque en ti he puesto mi confianza. Señálame el camino que debo seguir, porque a ti elevo mi alma. Señor, líbrame de mis enemigos, porque en ti busco refugio. Enséñame a hacer tu voluntad, porque tú eres mi Dios. Que tu buen Espíritu me guíe por un terreno sin obstáculos" (Sal. 143:8-10).

No solamente busqué consuelo en la Palabra de Dios, más también en la compañía de los hermanos de la iglesia. Cuando por fin compartí con las hermanas del estudio bíblico que estaba embarazada, me sentía tan aliviada. Ellas se convirtieron en luchadoras de oración por mí y me amaban a pesar de todo. Lo único de lo que me arrepentí fue de no compartir la noticia antes. Busqué consejo de una ministra y amiga con quien tenía confianza. Ella me hacía las preguntas difíciles, no para condenarme, sino para retarme y animarme a la sanación. **Como mujer, el regalo de hermanas cristianas es irreemplazable. Estoy muy agradecida por la comunión y la confianza que encontré en ellas.**

Aunque sigo muy agradecida por la familia de hermanos que tenía donde vivía, en los meses después de que nació mi hijo, decidí regresar a mi hogar. Se me hizo evidente que no podía continuar sanando, si me quedaba donde estaba. Necesitaba el apoyo de mi familia física. Necesitaba alejarme de la situación que me mantenía débil. Empacar todo y dejar al padre de mi hijo fue la decisión más difícil de mi vida. La separación creó otro tipo de dolor, pero tenía paz al saber que mi decisión fue motivada por Dios y el deseo de tener la mejor vida para mi hijo. Tenía fe de que Dios bendeciría mi decisión, y ha sido así desde que me vine. La distancia física de la situación sirvió para darme claridad mental. Solo con tener la mente clara, sentí menos preocupación y temor.

Comencé a sentir paz al reconocer el poder de Dios. Él es más grande que mi pecado, más grande que mis circunstancias. Le puse el título "el Autor de cambio" en mi vida. Cada vez que reconozco

Su poder, siento que mi fe se estira y crece más. Él sigue derramando cambios positivos sobre mi vida. No puedo tomar el crédito por ninguno de ellos. **Es por el poder y la gracia de Dios que no sigo atrapada en la telarañas de mentiras de Satanás.** No solo eso, pero me ha dado las fuerzas para perdonarme a mí misma y a los hombres que no me mostraron el respeto que merecía. Ya no siento enojo ni amargura hacia ellos. Soy responsable por mis acciones, y ahora conozco las maneras por las cuales Satanás me engañó. A veces él trata de convencerme de que no soy nada, que no tengo valor. Una de las mentiras más grandes que me dijo fue que mi valor venía de un hombre. Yo sé que no es verdad, pero cuando Satanás comienza a tentarme de nuevo, cuando empieza a perseguirme con las mismas mentiras, me pongo a leer Salmos 139. ¡Soy una creación admirable! ¡Mi creador me conoce completamente y me ama tal y como soy! Este capítulo me recuerda que tengo que amarme a mí misma porque soy una creación maravillosa de Dios. Me anima a ver a los demás de la misma manera, y aceptarlos donde están en sus caminos. Muchas personas me aceptaron durante el tiempo más difícil de mi vida, y yo haré lo mismo por otros. Puedo gozarme en la verdad del amor perfecto, incondicional de Dios y así puedo sembrarlo más abundantemente. **Puedo pararme nuevamente con confianza al saber que mi valor es la de una hija de Dios, no la de ser novia de un hombre.**

Sigo navegando en lo desconocido, y trabajando para un futuro más positivo. Después de venirme a casa, decidí seguir una profesión más apropiada para mi familia. Dios ha hecho esa búsqueda posible y estoy agradecida por estar en el camino correcto de nuevo, esperando un futuro mejor en vez de estar agobiada por el pasado. Estoy reconstruyendo y creciendo, buscando la sabiduría de Dios y Su paz para las decisiones difíciles de la vida. Hay días en que tengo que luchar ferozmente para no volverme a ese lugar tan oscuro. Me consuela saber que no estoy sola. El recuerdo más grande de eso, que Dios me dio, es mi hijo. ¡Él es una vasija del amor incondicional de Dios, la esperanza y el gozo! Cuando cubre mi cara con besos, aprieta mi cuello con abrazos y besa a su propia mano sin parar, para tirarme besos cuando salgo para el trabajo, me acuerdo del propósito más grande que tengo ahora en este mundo: criar a mi hijo y enseñarle a amar a Dios, a sí mismo y a los demás. Y por supuesto, tengo planes para enseñarle a tratar a una dama con el respeto que merece.

Sobre la autora

Durante la trayectoria de su ministerio, Michelle J. Goff ha escrito en inglés y en español muchos estudios bíblicos orientados para compartir en grupo. Dios ha guiado a Michelle a compartir estos recursos con más mujeres alrededor del mundo a través del Ministerio Hermana Rosa de Hierro. Ella también seguirá aprovechando oportunidades para servir como expositora en seminarios, conferencias, y otros eventos para damas a lo largo de las Américas en inglés y en español. Si deseas programar un seminario en una iglesia cercana, por favor, contacta a Michelle por medio del correo electrónico hermanarosadehierro@gmail.com, o para mayor información, visita la página web: www.HermanaRosadeHierro.com

Vida personal

Michelle creció en Baton Rouge, Luisiana, con sus padres y tres hermanas menores. Su amor y dedicación para ayudar a las mujeres que encuentra en su camino empezó desde temprano con sus hermanas, aun cuando ellas pensaban que ella era muy mandona. Michelle y sus hermanas han madurado mucho desde su niñez, pero los lazos de hermandad permanecen. Michelle ha sido bendecida por el apoyo de su familia durante todas sus aventuras a lo largo de los años.

Michelle disfruta el tiempo con la familia, es aficionada de los Bravos de Atlanta y los Tigres de LSU. Le gusta tomar un café o té con sus amigas, ir al cine, viajar, y le gusta hablar español. Y adivinen cuál es su flor favorita… Sí. La rosa roja.

Actualmente, ella reside en Searcy, Arkansas, cerca de su familia.

Experiencia en el ministerio y la educación

Michelle sintió primero el llamado al ministerio durante su último año de estudio en la Universidad de Harding mientras hacía una licenciatura en terapia del lenguaje y español. Tenía planes para unirse a un equipo con el objetivo de establecer una nueva congregación en el norte de Bogotá, Colombia. Para facilitar los planes de la nueva obra en Bogotá, ella se mudó a Atlanta, Georgia, después de graduarse en mayo de 1999. Aunque el plan para Bogotá, Colombia, no se logró, Michelle siguió con el sueño y fue parte del grupo que estableció una nueva obra allí en marzo del 2000.

Ella trabajó en el ministerio de misiones en la Iglesia de Cristo en North Atlanta por un año y medio antes de mudarse a Denver, Colorado, a trabajar con cuatro nuevas congregaciones — una habla-inglesa (Iglesia de Cristo en Highlands Ranch) y tres hispanohablantes. Durante los dos años y medio que vivió en Denver, Michelle siguió involucrada en Bogotá, Colombia, y en varias regiones de Venezuela, visitando nuevas congregaciones, enseñando clases, dirigiendo retiros de damas, enseñando y colaborando en campamentos de jóvenes, etc.

En marzo del 2003, Michelle se mudó a Caracas, Venezuela, a colaborar con una nueva congregación en el este de la ciudad. Cada tres meses para renovar su visa venezolana, visitaba Bogotá, Colombia, para también seguir colaborando con la congregación allí. Su tiempo en Caracas estuvo enfocado en la congregación del Este, pero también pudo participar en otras actividades de damas en otras regiones del país. Durante los cuatro años que Michelle estuvo en Caracas, la congregación que empezó con doce personas reunidas en su apartamento llegó a tener casi cien miembros. La Iglesia de Cristo en el Este ya celebró su decimosegundo aniversario y sigue creciendo.

En marzo del 2007, Michelle hizo una transición al ministerio en los Estados Unidos como ministra universitaria para las damas con la Iglesia de Cristo, South Baton Rouge. Ellos tienen un Centro Cristiano Estudiantil al lado del campus de la Universidad Estatal de Luisiana (LSU). Mientras Michelle acompañaba a los universitarios en su camino espiritual y servía en otros papeles con el ministerio de damas, Michelle cursó una maestría en LSU. Se graduó en diciembre del 2011, culminando su maestría en estudios hispanos con una concentración en la lingüística. Su tesis exploró la influencia de factores sociales y religiosos en la interpretación de las Escrituras.

Ahora Michelle está siguiendo el llamado de Dios al usar su experiencia en el ministerio bilingüe con mujeres de toda edad y distintos orígenes culturales, para bendecirlas con oportunidades de crecimiento y crear vínculos profundos espirituales con otras hermanas en Cristo, a través del Ministerio Hermana Rosa de Hierro.

Sobre el Ministerio Hermana Rosa de Hierro

El Ministerio Hermana Rosa de Hierro es una entidad sin fines de lucro 501(c)(3) registrada en los EE.UU. con una junta directiva y en consulta con algunos ancianos de la Iglesia de Cristo.

Visión:

Equipar a las mujeres para que se conecten más profundamente con Dios y con otras hermanas en Cristo.

Iron Rose Sister
MINISTRIES

MINISTERIO
Hermana Rosa de Hierro

www.HermanaRosadeHierro.com

Misión general:

Un ministerio que facilita mejores relaciones entre hermanas en Cristo para que puedan servir como hierro afilando a hierro, animándose e inspirándose a que sean tan bellas como rosas a pesar de unas espinas. Su meta es de proveer recursos bíblicos sencillos para ser guiados por cualquier persona y profundos para que todas crezcan.

Cada FACETA y base acerca de nuestra visión:

F – Fidelidad – a Dios sobre todo. *"Busquen primeramente el reino de Dios y su justicia, y todas estas cosas les serán añadidas."* (Mat. 6:33)

A – Autenticidad – No somos hipócritas, sólo humanas.

"...pero él me dijo: «Te basta con mi gracia, pues mi poder se perfecciona en la debilidad.» Por lo tanto, gustosamente haré más bien alarde de mis debilidades, para que permanezca sobre mí el poder de Cristo. Por eso me regocijo en debilidades, insultos, privaciones, persecuciones y dificultades que sufro por Cristo; porque cuando soy débil, entonces soy fuerte." (2 Cor. 12:9-10)

C – Comunidad – No fuimos creadas para tener una relación aislada con Dios. Él ha diseñado a la iglesia como un cuerpo con muchos miembros (1 Cor. 12). La cantidad de pasajes "los unos a los otros" en el Nuevo Testamento afirma ese diseño. Como mujeres, tenemos necesidades únicas en las relaciones, tras diferentes etapas de la vida — a veces, como Moisés, necesitamos los brazos levantados por otros en apoyo (Éx. 17:12) o en otras ocasiones, podemos regocijarnos con los que están alegres o llorar con los que lloran (Rom. 12:15). Los estudios Hermana Rosa de Hierro están diseñados para ser compartidos en comunidad.

E – Estudio – *"La palabra de Dios es viva y poderosa, y más cortante que cualquier espada de dos filos. Penetra hasta lo más profundo del alma y del espíritu, hasta la médula de los huesos, y juzga los pensamientos y las intenciones del corazón."* (Heb. 4:12)

Para poder obtener los beneficios y las bendiciones de la visión de la Hermana Rosa de Hierro, debemos consultar al Creador. A través de un mayor conocimiento de la Palabra, podemos florecer como rosas y quitar las espinas — discerniendo cómo el Espíritu nos guía, reconociendo la voz del Padre y siguiendo el ejemplo del Hijo. Se cumple con esas metas exitosamente en el contexto de la comunidad, así que proveemos recursos para el estudio bíblico en grupo, pero sin excluir el tiempo a solas con Dios, y por eso los recursos sirven para estudios bíblicos personales también.

T – **Testimonio** – Todas tenemos una "historia con Dios." Al reconocer su mano viva y activa en nuestras vidas, somos bendecidas al compartir ese mensaje de esperanza con otros (Juan 4:39-42). ¡Gracias a Dios, esa historia no ha terminado! Dios sigue trabajando en la transformación de vidas y anhelamos oír tus historias también.

A – **Ánimo en oración y como afiladora** – *"El hierro se afila con el hierro."* (Prov. 27:17) Dios no nos ha dejado solas en el camino. *"Confiésense unos a otros sus pecados, y oren unos por otros, para que sean sanados. La oración del justo es poderosa y eficaz"* (Sant. 5:16).

Es nuestra oración que cada mujer que se una en esta misión participe como Hermana Rosa de Hierro con otras damas.

Para más información, por favor:

Visita www.HermanaRosadeHierro.com.

Anótate para recibir los boletines del MHRH.

Bibliografía

Bonhoeffer, Dietrich. *El precio de la gracia: El seguimiento.* Salamanca: Ediciones Sígueme, 2004.

Capper, Arthur, pub., "Idaho Potato Cake," *Capper's Weekly.* Topeka, Kansas, 1913-1986. (unknown published date of original recipe)

Cowell, Maria. "Porn: Women Use It Too," *Today's Christian Woman* online, February 2015, http://www.todayschristian woman.com/articles/2015/february-week-3/porn-women-use-it-too.html

Dalbey, Gordon. *Healing the Masculine Soul.* Nashville: Thomas Nelson, 2003.

Green, Michael P., ed. *1500 Illustrations for Biblical Preaching.* Grand Rapids: Baker Books, 2005.

Instituto Nacional de Salud Mental, https://www.nimh.nih.gov/health/publications/espanol/depresion/index.shtml

Keller, Timothy. *Counterfeit Gods.* London: Penguin, 2009.

Lewis, C. S. *Mere Christianity.* New York: Harper Collins, 2001.

Prochnow, Hebert V. and Hebert V. Prochnow, Jr. *5100 Quotations for Speakers and Writers.* Grand Rapids: Baker Books, 1992.

Rowell, Edward K. and *Leadership*, editors. *1001 Quotes, Illustrations, and Humorous Stories.* Grand Rapids: Baker Books, 2008.

Cuadro de Mentira/Verdad

RECONOCER la mentira (en tus propias palabras)	REEMPLAZAR la mentira con la verdad (en tus propias palabras)	RECORDAR la verdad (referencia bíblica)

RECONOCER la mentira (en tus propias palabras)	REEMPLAZAR la mentira con la verdad (en tus propias palabras)	RECORDAR la verdad (referencia bíblica)